버나드 쇼

자본주의+사회주의 세상을 탐험하는 지적인 여성을 위한 안내서

차례

김일기 김지연 옮김

Tendedero

THE INTELLIGENT WOMAN'S GUIDE TO SOCIALISM AND CAPITALISM
1st Edition by Constable & co. Ltd, London in 1928
THE INTELLIGENT WOMAN'S GUIDE TO SOCIALISM, CAPITALISM,
SOVIETISM AND FASCISM Updated Edition by Pelican Books in 1937

G.B.S.

Table of Contents
차례

차례

제1장	때가 됐다	13
제2장	나눠야 산다	14
제3장	얼마씩 나눌까	15
제4장	얼마씩 일할까	16
제5장	원시 기독교의 공산주의	17
제6장	모든 것을 공유할 수는 없다	18
제7장	어떻게 나눌까	19
제8장	일한 만큼 주자?	20
제9장	자질에 따라 주자?	21
제10장	재주껏 챙기게 하자?	22
제11장	소수에게 몰아주자?	23
제12장	계층에 따라 주자?	24
제13장	이대로 놔두자?	26
제14장	불평등이 왜 문제가 될까	27
제15장	돈과 에너지가 낭비된다	29
제16장	자연스러운 짝짓기가 이뤄지지 않는다	30

제17장	사법 정의가 무너진다 32
제18장	딱한 부유층이 생긴다 33
제19장	교회와 학교와 언론이 타락한다 35
제20장	왜 참고 견딜까 36
제21장	소득평등은 이미 검증된 분배 방식이다 37
제22장	사람들의 진가가 드러난다 38
제23장	누가 열심히 일하고 누가 궂은일을 하냐고? 39
제24장	진정한 여가를 누린다 41
제25장	인구 문제만 심각해진다고? 42
제26장	기회의 평등은 헛소리다 44
제27장	법제화되지 않으면 십계명도 무용지물 45

Ford Madox Brown

제28장	자본주의란 무엇인가 47
제29장	뭘 사든 바가지를 쓸 수밖에 없다 48
제30장	세금 내는 게 달갑지 않다 49

제31장	지방세가 누군가의 공돈이 되고 있다	50
제32장	결국 땅주인한테 뜯긴다	51
제33장	자본이란 무엇인가	52
제34장	투자는 자본의 지대를 창출한다	53
제35장	투자를 민간에 맡기면 무슨 일이 벌어지나	54
제36장	반쪽짜리 축복에 그친 산업혁명	55
제37장	자본에는 애국심이 없다	56
제38장	기생 국가로 전락한다	57
제39장	어쩌다 제국주의	58
제40장	아프리카로 떠난 첫 번째 무역선에서 1차세계대전까지	59
제41장	마법사의 제자	60
제42장	마법은 어떻게 시작됐나	61
제43장	상류층도 하류층도 무능해지다	62
제44장	사업가 전성시대가 되다	63
제45장	뛰는 사업가 위에 나는 금융업자	64
제46장	프롤레타리아가 조직화하다	65
제47장	아동노동금지법을 부모들은 왜 반대했나?	66
제48장	노예의 노예	67
제49장	프롤레타리아의 자본주의, 노조가 부상하다	68
제50장	프롤레타리아는 어떻게 의회를 움직였나	70

제51장	국가의 자본을 어떻게 계산할 것인가 72
제52장	금융시장에서는 여윳돈과 연수입을 교환한다 73
제53장	투기란 무엇인가 75
제54장	은행은 언제 위험해지는가 76
제55장	정직하지 못한 정부가 돈의 가치를 떨어뜨린다 77
제56장	조폐국처럼 은행은 국유화해야 한다 78
제57장	국유화하려면 반드시 보상해야 한다 79
제58장	어설픈 국유화는 안 하느니만 못하다 80
제59장	보상 없이 몰수하자고? 81
제60장	기생충의 기생충들이 저항한다 82
제61장	안전밸브가 작동하지 않는다 83
제62장	지금까지 몰수가 잘 이루어진 까닭은? 84

제63장	전쟁에 쓸 돈이 있으면 그만큼 못쓸도 가능하다? 86
제64장	기습 과세는 나쁘다 88
제65장	천국으로 가는 길은 알았다 89

제66장	세금으로 퍼주기는 가짜 사회주의다 90
제67장	보수주의는 자본주의에 잡아먹힌다 92
제68장	폭주하는 자본주의는 통제가 필요하다 94
제69장	자본주의 사회에서는 누가 자유를 누리는가 96
제70장	재능 있는 사람들이 왜 교활해지는가 98
제71장	노동당이 집권한다고 사회주의가 실현될까 101
제72장	영국의 정당제도는 변화가 필요하다 103
제73장	사회주의와 노조주의의 분열은 정해진 수순이다 105
제74장	사회주의 대 자본주의는 현대판 종교전쟁이다 106

제75장	혁명은 요술봉이 아니다	108
제76장	법 하나면 된다는 발상은 위험하다	109
제77장	국유화만이 능사는 아니다	111

Sir William Orpen Grace

제78장	평등한 사회까지 얼마나 걸릴까	113
제79장	규제들이 사라진다	114
제80장	결혼에서 자유로워진다	116
제81장	나만 잘살면 된다고 가르치지 않는다	118
제82장	교회가 불평등을 옹호하지 않는다	121
제83장	우리는 바벨탑에 살고 있다	124
제84장	소비에트의 실수를 보니 페이비언이 옳았다	127
제85장	파시즘은 자본주의의 또 다른 얼굴이다	130
제86장	지적인 신념을 향하여	133

참고문헌을 대신하여 131

제1장 때가 됐다

사회주의는 부의 분배 방식에 대한 하나의 견해다. 소득분배는 저절로 이뤄지는 게 아니라 의논하고 합의해서 결정할 문제다. 합의는 상황에 따라 달라지기 마련이므로 소득분배에 대한 합의도 우리가 사는 동안 계속 변해 왔다. 빅토리아 여왕 시절에는 꿈도 꿀 수 없었던 분배에 대한 합의가 이뤄지기도 했고, 해마다 계속해서 새로운 합의가 이뤄지고 있다. 그러니까 우리가 처한 상황에 따라 분배 방식을 바꿔야 한다는 데는 이론이 있을 수 없다. 다만 우리가 머리를 맞대고 논의할 것은 안정적인 번영을 누리기 위해 과연 얼마나 바꿀 것인가 하는 문제다. 한동안 잠잠했던 이 논의가 19세기 사회주의 깃발 아래 다시금 수면 위로 떠올랐다. 사회주의자들이 옆구리를 콕콕 찌르지 않더라도 분배 문제에 관해서는 모두가 각자 자기 관점을 가져야 한다.

A Closed Question Opens

제2장 나눠야 산다

분배는 혁명적인 일도 아니고 모세의 희년처럼 특별한 일도 아니다. 문명화된 삶에서 날이면 날마다 일어나는 필연적인 사건이며, 뒤로 미룰 수도 없는 일이다. 음식은 바로 먹지 않으면 결국 먹을 수 없게 되고 물품은 사용하면 닳아 없어지고 사용하지 않아도 결국 소멸하고 만다. 따라서 재화는 그때그때 분배돼야 하고 소비돼야 한다. 저축은 불가능하다. 물질은 영원하지 않다. 소위 저축이란, 여유식량을 소유한 어떤 사람이 다른 사람에게 그 식량을 소비하게 하고 그 대가로 미래의 어느 시점에 그 반대로 하자고 약속하는 흥정 행위를 말한다. 전체를 놓고 보면 저축은 일어나지 않는다. 한쪽이 저축한 것을 다른 쪽이 소비할 뿐이다. 그러니 모두가 저축하자는 이야기는 정말이지 허튼소리다. 모든 국민이 십억씩 "저축"을 한다 해도 생산을 멈추면 그 나라는 보름도 버티지 못하고 망할 것이다.

제3장 얼마씩 나눌까

분배는 내버려두면 저절로 해결되는 문제가 아니다. 각자에게 얼마를 분배할 것인지는 법으로 정하고 경찰력으로 강제해야 한다. 각자의 몫을 변경할 생각이면 법을 개정해야 한다. 기존의 분배 방식은 오늘날 공정함에 대한 일반적인 도덕관념과 부딪히고 공중 보건도 저해하기 때문에 대중의 반감을 사고 있다. 하지만 사람들이 느끼는 반감을 정치 제도에 반영하려면 정확한 수치로 표현할 수 있어야 한다. 이 문제에 얼렁뚱땅 애매하게 접근해서는 안 된다. 정확히 얼마나 더 혹은 얼마나 덜 가질 것인가가 규명돼야 한다. 부富는 돈으로 계산되는 만큼 분배 문제는 소득의 관점에서 다뤄야 한다.

제4장 얼마씩 일할까

생산적인 노동을 하지 않으면 분배할 음식도 생기지 않는다. 하지만 모두가 먹어야 함에도 불구하고 모두가 일을 할 필요는 없다. 현대 사회에서는 우리들 각각이 한 사람을 먹여 살리는 데 필요한 것보다 훨씬 더 많이 생산할 수 있기 때문이다. 모두가 일을 한다면 모두가 충분한 여가를 누릴 수 있다. 그런데 어떤 사람은 일을 도맡아 하고 전혀 여가를 누리지 못하는 반면 다른 누군가는 모든 여가를 독식하고 전혀 일을 하지 않는 상황이 발생할 수도 있다. 이 양극단을 대변하는 게 철저한 사회주의와 철저한 노예제도다. 농노제도와 봉건제도와 자본주의는 그 사이에 있는 중간 단계들이다. 노동과 부와 여가의 분배를 자기에게 유리하게 바꾸기 위한 개인 간, 계급 간 투쟁이 바로 혁명사의 핵심이다. 근대 이후 여러 발견과 발명으로 부의 양이 엄청나게 증가했기 때문에 소득을 분배하는 문제가 중요해졌다.

제5장 원시 기독교의 공산주의

다른 방안들을 검토할 때와 마찬가지로 개인적·정치적·종교적 편견은 잠시 접어 두고, 공산주의도 그저 분배 방식의 하나로서 고려해야 한다. 공산주의는 열두 사도(초기 기독교)의 방침이었고, 지금도 가족 공동체 안에서 보편적으로 작동하고 있다. 현대 도시 환경에서는 필요불가결한 부분이기도 하다. 누구나 무차별적으로 사용하는 모든 재화와 용역에는 공금이 투입되고 공산주의가 실행되고 있다. 차도와 교각, 육군과 해군, 가로등과 보도, 경찰, 미화원, 위생설비 검사관 등은 우리가 익숙하게 접하는 분명한 사례들이다.

제6장 모든 것을 공유할 수는 없다

공산주의는 상당히 만족스럽고 확실한 분배 방식이라서 모든 것을 공산화하자고 할 사람이 있을지 모른다. 그러나 모든 것을 공산화할 수는 없다. 모든 사람에게 필요하거나 유용해서 도덕적으로도 문제가 없는 재화와 용역에만 공산주의를 적용할 수 있다. 시민들이 기꺼이 타협하기로 한 사안들에는 확대 적용할 수도 있다. 예컨대, 조정 선수가 크리켓 구장 건설을 위해 세금을 내고 크리켓 선수가 호수 관리를 위한 세금을 낼 수도 있다. 그러나 종교의식처럼 사람들이 심각한 견해차를 보이는 서비스나 술처럼 일부 사람들은 해롭다고 여기는 상품은 공산주의의 영역에서 배제된다. 과학이나 일반교육과 같은 분야에는 은근슬쩍 공산주의를 적용할 필요가 있다. 일반시민들이 과학과 교육의 중요성을 충분히 이해하고 기꺼이 기부금을 내기를 바라는 것은 무리다. 사람들은 그리니치 천문대나 내셔널갤러리, 영국박물관 같은 것들이 하늘에서 뚝 떨어진 공짜 선물인 줄 안다. 그런 영역에 대해서는 유권자들과 일일이 의논하지 않고 정부가 그냥 지원할 수밖에 없다.

제7장 어떻게 나눌까

현재 주장되거나 실행되고 있는 분배 방식은 일곱 가지로 정리할 수 있다.

1. 각자 생산한 만큼 가진다.
2. 각자 됨됨이만큼 누린다.
3. 각자 챙길 수 있을 만큼 챙긴다.
4. 서민에게는 온종일 일하는 조건으로 생계유지에 충분한 만큼 분배하고 나머지는 상류층이 가진다.
5. 사회를 계급으로 나누고 계급 안에서는 엇비슷하게 분배하지만, 계급 간에는 차등을 둔다.
6. 지금처럼 쭉 간다.
7. 모두가 똑같이 나눈다

제8장 일한 만큼 주자?

이 방안은 일견 타당해 보이지만 치명적인 두 가지 결함이 있다. 물건을 생산할 때도 각자가 정확히 얼마나 생산하는지 알아낼 수 없는 데다가, 사람들 대다수가 물건을 생산하는 일이 아니라 서비스에 종사한다는 점이다. 유독 출산만은 각자 생산량이 정확하다고 할 수 있는데, 솔직히 아기는 돈 나가는 구멍이지 아기로 먹고살 수는 없다. 생산이나 서비스에 들어간 시간에 따라 노동자들에게 임금을 지급할 수 있을 것 같지만 그것도 말처럼 간단하지 않다. 노동자가 숙련되는 데 들어간 시간까지 고려하면 계산이 아예 불가능해진다. 따라서 이 방식은 가능하지도 않고 사실상 터무니없는 생각이다.

제9장 자질에 따라 주자?

풍족하게 누리고 있는 사람들은 각자가 누릴 자격이 있는 만큼 누리는 거라고 생각하는 경향이 있다. 얼핏 그런 착각을 할 수도 있겠으나 사실 말도 안 되는 소리다. 각자의 자질에 따라 소득을 분배하자는 제안은 절대로 실행불가능하다. 사람의 자질은 돈으로 측정될 수 없다. 아무나 실존 인물 둘을 놓고 생각해보면 진실이 드러날 것이다. 그들의 미덕이나 과오에 따라 각각의 소득을 정하는 것은 불가능하다.

제10장 재주껏 챙기게 하자?

이 방안은 어린이와 노인, 병약자와 건장한 성인의 이권 추구 능력이 똑같다고 보고 있다. 그렇게 불가능한 상황을 가정하고 있는 게 아니라면 아주 몰상식한 방안이다. 운명을 함께해야 하는 같은 편에게는 해적들조차 그렇게 염치없는 짓을 하지 않는다. 하지만 현재 상거래에서는 이 방식이 묵인되고 있다. 법을 무시하고 날강도짓을 하거나 폭력을 행사하는 것은 금지돼 있지만, 상인은 되도록 많이 갖고 되도록 적게 내놓으려 한다. 땅주인은 땅의 수익성을 극대화하기 위해 합법적인 폭력을 사용하기도 한다. 그런 식으로 이권 추구를 허용한 결과 마뜩잖은 상황이 초래됐고 문제를 해결하기 위해 계속해서 법이 만들어지고 있다. 이런 대책 없는 생각은 묵살하는 게 마땅하다.

제11장 소수에게 몰아주자?

소수를 부유하게 하고 다수를 가난하게 하는 분배 방식은 오랫동안 이어져 왔고 현재도 작동 중이다. 소수 지배의 이점으로 거론되는 것들은 다음과 같다. ① 부유층은 문화의 수호자다. ② 부자들은 남아도는 막대한 돈으로 사회적으로 필요한 여유자금 즉, 자본을 형성한다. ①에 대한 반론: 소수 지배의 일환인 봉건 제도는 시골 마을이나 산악 지대에서는 효과적이었는지 모르지만, 현대 도시 환경에서는 조금도 먹히지 않는 방식이다. 과거에는 소수 지배층에 기대야 했던 서비스를 이제 정부 조직과 공무원이 담당하고 있다. ②에 대한 반론: 자본을 만들기 위해 치르는 대가가 너무 크다. 부자들이 자기 소득의 일부를 자본으로 사용할 거라는 보장도 없고, 설령 그런다 하더라도 그 돈을 가장 절실하게 필요로 하는 국내에 투자한다는 법도 없다. 다른 방식으로도 자본 형성은 할 수 있다. 소수 지배 방식은 그간 지나치게 남용된 결과를 견디지 못하고 붕괴되고 있다.

제12장 계층에 따라 주자?

지금도 부분적으로 일어나고 있는 일이다. 우리는 왕이 막노동꾼보다 더 받아야 한다고 생각하게끔 길들여져 있다. 실제로 왕은 막노동꾼보다 더 받는다. 하지만 철강왕이나 양돈업계 큰손보다는 적게 받는다. 특별한 기술이 없는 노동자가 위대한 수학자보다 많이 받기도 한다. 엄밀히 말하면 위대한 수학자는 그 자체만으로는 아무것도 받지 못하므로 박봉의 교수직으로 근근이 먹고살아야 한다. 성직자는 아주 적게 받는데 마권업자는 한밑천 단단히 챙긴다. 이러니 누가 얼마를 받아야 하며 왜 그만큼을 받아야 하는지 아무도 설명할 수 없다. 미화원이 은행원보다 덜 받는 걸 당연시하는 사람들이 있다손 치더라도, 그렇다면 과연 얼마나 적게 받아야 하느냐는 질문에는 답할 수 없을 것이다. 그 질문에 답할 수 없다면 분배에 관한 정치적 합의에는 아무 영향도 미칠 수 없다. 계층에 따른 분배를 옹호하는 쪽에서는 그러한 분배가 소득이 높은 계층에게 우월한 이미지와 권위를 부여해준다고들 한다. 권위는 사회를 구성하는 데 물론 필요하다. 그러나 현대사회에서 권위자들은 그들의 지시를 따르는 사람들보다 종종 더 가난하다. 진정한 권위는 돈과는 아무 상관이 없다.

제13장 이대로 놔두자?

말이 좋아 자유방임이지 결국 흘러가는 대로 방치한다는 소리다. 그냥 둔다고 그대로 있는 게 아니다. 변화는 자연의 법칙이다. 의회와 교회가 변화를 등한시하면, 변화를 피하지 못하는 것은 물론이고 성급하고 경솔하고 때로는 파국으로 치닫는 변화를 맞닥뜨리고 만다. 법률과 교리가 그 규제 대상의 변화에 발맞춰 신속하고 빈번하게 변하지 않는다면 엄청난 변화의 압력이 문명을 붕괴시키고 말 것이다.

제14장 불평등이 왜 문제가 될까

일단 가난은 없애야 한다. 가난하다고 반드시 불행한 것은 아니지만 가난은 사람을 격하시킨다. 바로 그것이 가난이 사회적으로 위험한 이유다. 가난의 해악은 전염성이 강해서 부자들이 아무리 가난과 격리된 채 살아가려고 발버둥쳐도 소용없다. 가난을 형벌로 여기고 받아들이는 것도 어리석다. 가난한 사람들을 계속 두고 볼 수는 없다. 엘리자베스 여왕 시절부터 가난은 구제한다는 것이 원칙이다. 그렇다면 부자들을 놔두는 것은 괜찮은가? 부자들은 부유함으로 얻는 유일한 특권인 게으름과 탐욕을 스스로 내려놓을 때만 비로소 부유함의 고통에서 벗어날 수 있다. 가난뱅이도 부자도 바람직하지 않다. 그렇다면 얼마를 가지면 될까? 야만인에게 충분한 것이 문명인에게는 충분하지 않다. 우리네 할머니들에게 충분했던 것이 우리에게는 충분하지 않다. 인류의 높은 요구는 끝을 모른다. 그러니까 문명화된 사회에서 각자에게 얼마가 필요한지는 답을 찾을 수 없는 질문이다. 모두에게 충분히 나눠주자는 식으로는 분배의 문제가 풀리지 않는다. 그 누구도 모든 것을 충분히 가질 수는 없다. 하지만 모두에게 똑같이 주는 것은 가능하다.

제15장 돈과 에너지가 낭비된다

불평등한 분배가 산업에 미치는 영향을 살펴보자. 정치경제학이란 최대한의 보편적 이익을 위해 국민소득을 지출하는 기술이라고 할 수 있다. 생산에는 우선순위가 있다. 가장 절실한 것을 가장 먼저 생산해야 한다. 의식주는 향수나 보석보다 우선해야 하고, 강아지를 먹이기 전에 아기를 먹여야 한다. 동일한 구매력이 보장돼야만 구매자들의 요구에 부응하는 생산 순서가 지켜질 수 있다. 소득불평등은 생산 우선순위를 형편없이 망가뜨린다. 굶주리는 아이들을 먹이는 데 사용돼야 할 노동력으로 한낱 사치품이나 생산하고 있는 실정이다. 이 모순된 상황에 대해 사치품 구매자들이 고용을 창출한다는 핑계를 대는 것은 말도 안 되는 소리다.

제16장 자연스러운 짝짓기가 이루어지지 않는다

불평등한 분배가 인간의 유전적 소질에 어떤 영향을 미치는지 그리고 평등한 분배를 통해 더 나은 인간을 생산할 수 있는지 알아보자. 가축을 번식시키는 일은, 비록 그 방법이 불확실하고 어렵더라도, 비교적 문제가 간단하다. 가축은 식용이나 경주용, 운송수단 등 특정 목적을 염두에 두고 사육하기 때문에 어떤 종류의 가축이 필요한지는 축산업자가 정확히 알고 있다. 그러나 어떤 종류의 인간이 필요한지에 대해서는 아무도 말할 수 없다. 특정 부류의 인간이 필요 없다고 말하는 것만으로는 부족하다. 축산업자의 방법은 우리에게 아무런 도움이 되지 않는다. 만일 어떤 미친 우생학 교수가 인간 번식장 같은 걸 만든다고 치자. 그래봤자 그 인간 사육가는 무엇을 목표로 해야 하는지, 어디서부터 어떻게 시작해야 하는지 알지 못할 것이다. 그러니까 인간의 번식에 관해 우리가 따를 수 있는 유일한 지침은 자연스러운 성적 이끌림뿐이다. 인간은 성적으로 난잡하지 않다. 언제나 특정 상대에게 끌릴 뿐이다. 짝을 고르는 것이다. 그런데 소득불평등이 이

선택을 가로막는다. 우리가 선택할 수 있는 짝은 우리가 속한 계급 구성원으로 제한된다. 다시 말해서, 자기와 소득 수준이 비슷한 사람을 고를 수밖에 없다. 나쁜 짝짓기가 끔찍한 불행을 낳았다. 성적 선택의 영역을 확장해서 온 국민이 서로 결혼할 수 있는 상태가 되도록 하는 것이 바람직한 분배의 핵심이다. 소득평등화가 이루어지면 배우자 선택의 폭이 넓어질 것이다.

제17장 사법 정의가 무너진다

정의는 사람을 차별하지 않아야 한다. 그러나 법정에서 사람들은 소득에 따라 차별대우를 받는다. 배심원단은 소송당사자는 물론이고 전체 시민과 대등한 사람들로 구성돼야 하는데, 이는 개개인의 소득이 불평등한 사회에서 사실상 불가능한 일이다. 소득이 많은 사람과 적은 사람은 이해관계나 누리는 특권이 서로 다르다. 소송에는 돈이 든다. 민사 소송의 경우, 가난한 사람은 가난 때문에 법에 호소할 길이 가로막혀 있다. 부자가 법정에 끌고 가겠다고 으름장을 놓으면 가난한 사람들은 겁부터 집어먹는다. 이혼 소송에서는 배우자를 파는 것과 다름없는 일이 벌어진다. 위자료가 공갈에 악용되는 지경이다. 형사 소송은 어떤가. 부자들이 다수인 의회에서 입법이 이뤄지기 때문에 법 자체가 타락한다. 법은 가난한 사람이 부자에게 행하는 절도에는 추상같지만, 놀고 먹는 범죄 즉, 부자가 가난한 사람에게 저지르는 절도에는 하염없이 너그럽다. 소득불평등 때문에 법과 정의는 멀어졌고 사람들은 법을 멸시하며 법조인의 신의성실에 전반적으로 의혹을 품는다.

제18장 딱한 부유층이 생긴다

무위도식은 아무 일도 안 한다는 게 아니다. 부자들은 무리해서 활동하고 "휴식 요법"으로 체력을 회복한다. 그들은 에너지 소모가 많고 위험천만한 스포츠를 즐기고 지치도록 춤을 춘다. 그들의 댄스 스텝은 집배원의 걸음걸이보다 요란하다. 전통적인 부자들은 스파르타식 훈련을 거쳐 상류사회의 생활방식을 습득한다. 처음에는 그저 빈둥거리던 신흥부자들도 차츰 전통적인 부자들의 스파르타식 훈련을 따른다. 외교와 군복무는 정력적인 부자들의 전유물이다. 무보수로 치안 판사를 맡거나 자산 관리를 남에게 맡기지 않고 직접 하거나 의회에 헌신하며 정치권력을 유지하려고 한다. 피임과 호텔식 생활이 출산과 가사노동을 대체하면서 부잣집 여자들이 직장 생활에 전념할 가능성이 높아졌지만 방종을 일삼는 쓸모없는 존재가 될 위험도 함께 높아졌다. 물론 예외적으로 훌륭한 인물들은 있다. 플로렌스 나이팅게일이나 존 러스킨은 상당한 불로소득을 가지고도 남들보다 더 열심히 일했다. 요컨대, 유한층의 무위도식이란 아무것도 하지 않는다는 게 아니라 생산 없이 소비만 한다는 뜻이다. 가장 큰 모순은 많은 돈을 가지고 아무것도 하지 않으면서 자유롭지도 않고 행복하지도 않다는 것이다.

제19장 교회와 학교와 언론이 타락한다

교구 목사가 운영하는 시골 학교에서는 부자에 대한 존경심을 무슨 충성심이나 종교라도 되는 것처럼 가르친다. 평등주의 도덕을 가르치는 교사들이 박해를 받고 똑같은 타락이 대학과 언론에서도 일어난다. 부자의 이해관계에 따라 수많은 거짓말이 주입되고 선전된다. 그 속에는 부자와 빈자가 이해를 같이 하는 지식과 정보도 섞여 있어서 거짓말을 알아채기는 쉽지 않다.

제20장 왜 참고 견딜까

우리는 잘못된 분배를 참고 견딜 뿐 아니라 심지어 지지한다. 부자들의 호화로운 씀씀이에서 콩고물이 떨어지길 바라기도 하고 어쩌면 나도 부자가 될 수 있다는 일확천금을 꿈꾸기도 한다. 잘못된 분배에서 오는 소소한 개인적 이득과 즐거움은 가장 무시당하는 계층의 가장 편협한 사람에게도 쉽게 이해되는 반면, 잘못된 분배제도의 거대한 국가적 폐해는 사회 문제를 다룰 수 있도록 훈련 받은 사람들이 아니고는 알아차릴 수 없다. 그러한 분배제도의 거대한 폐해를 알아차리지 못하면 국가에 아무리 인재가 많아도 적재적소에 등용하지 못해 그 재능을 낭비하게 된다. 정치인 재목인 최고의 두뇌가 가난 때문에 재능을 발휘하지 못하면 일류 공직을 이류 때로는 삼류 공무원에게 맡길 수밖에 없고 그러면 나라에 막심한 손해다. 우리가 소득불평등의 해악을 참는 것은 말 그대로 생각이 부족하기 때문이다.

제21장 소득평등은 이미 검증된 분배 방식이다

평등한 분배는 오랜 기간 체험을 통해 검증된 방식이다. 세상의 거의 모든 노동이 동일 임금을 받는 집단들에 의해 행해져 왔고 지금도 그렇다. 소득불평등은 개인이 아니라 계급 간에 존재한다. 소득을 평등하게 조율하면 그 결과는 상당히 안정적일 것이다. 평등이 개인차에 의해 틀어질 일은 없다. 간혹 수입이 더 나은 계층으로 진입하거나 아예 수입이 없는 부랑아로 전락하는 예외적인 사람들도 물론 있다. 하지만 원칙적으로 각각의 계층은 주어진 경제 수준을 유지한다. 계층 전체의 경제 수준이 올라가거나 내려가기는 해도, 언제나 내부의 평등은 유지된다. 사람들은 자기가 속한 수준에 머무른다. 소득 평등화는 결코 혁신적인 아이디어가 아니다. 확립된 하나의 관행이며, 산업체에서 일하는 사람들 사이에서 실행 가능한 유일한 방법이다. 그러므로 문제는 소득평등을 도입하는 것이 아니라, 계층 안에서 이미 실행되고 있는 소득 평등을 공동체 전체로 확대하는 것이다.

제22장 사람들의 진가가 드러난다

소득평등이 이뤄지면 사람들의 진가를 알아볼 수 있게 된다. 소득불평등 상황에서는 고소득이 다른 모든 가치를 가린다. 소득이 높다고 사람의 가치가 올라가는 게 아니다. 막대한 소득을 물려받은 멍청이도 있을 수 있고 교활한 장사꾼이 나쁜 방법으로 순진한 사람을 등쳐서 재산을 축적할 수도 있다. 반면 진짜로 가치 있는 사람들은 푼돈을 벌고 있으니 바보나 부당이득자들이 큰돈을 주무르는 것과 비교되며 업신여김을 당한다. 보통 일 년에 천을 버는 사람이 일 년에 백을 버는 사람보다 우월하다고들 생각한다. 소득이 각자의 가치를 정반대로 반영하고 있더라도 말이다. 사람들의 소득 수준이 같아져야 비로소 개개인의 진면목이 드러난다. 그래서 타고난 자질이 뛰어난 사람들은 소득평등을 앞장서 주장한다. 소득평등에 쌍심지를 켜고 반대하는 쪽은 언제나 국민 소득의 상당 부분을 가져가는 평범하거나 열등한 사람들이다.

제23장 누가 열심히 일하고 누가 궂은일을 하냐고?

소득평등에 반대하는 쪽에서는 어떤 사람이 다른 사람보다 더 열심히 일해서 더 많이 벌지 못한다면 누가 더 열심히 더 오래 일하려 들겠냐는 소리를 한다. 나는 이렇게 대꾸하겠다. 누군가가 더 열심히 더 오래 일해야 한다는 생각 자체가 공정하지도 않고 바람직하지도 않다. 오늘날 공장 시스템에서는 따로 더 일하는 것도 불가능하다. 공동작업은 엔진 회전속도에 따라 진행되고 엔진이 멈추면 같이 멈춘다. 어떻게든 일을 피하려고 하는 게으름뱅이들에게는 돈을 더 줘도 아무 소용이 없다. 직접적으로 강제하지 않으면 그들은 절대 일하지 않는다. 공동체 전체가 게으르고 타락한 삶 대신 고차원적인 삶을 지향하도록 동기부여를 해야 한다. 그러한 목적에 비추어 볼 때 소득불평등은 아무런 도움이 되지 않을 뿐 아니라 도리어 방해만 된다. 금전적으로 동기부여를 하지 않으면 사람들이 기피하는 궂은일은 어떻게 하느냐고? 조사를 해보니 현재 궂은일은 가장 형편없는 보수를 받는 사람들이 도맡고 있다. 그러니 돈을 많이 줘야만 궂은일을 하는 것도 아니다. 오히려 몇몇 극도로 궂은일의 경우에는 그에 걸맞은 교육을 받은 전문가들이 특별히 높은 임금을 받는 것이 아닌데도 척척 처리하는 것을 볼 수 있다. 사실 사람들이 기피하는 궂은일이란 어렵고 힘든 일이 아니라 사회적으로 열등하다는 오명을 수반하는 일이다. 힘든 일에 수반되는 가난과 불명예를 걷어내고 여가를 비롯해 모두가 똑같이 느끼는 욕구를 충족시켜주는 것이 진정한 해결책이다.

제24장 진정한 여가를 누린다

인류가 일하기를 멈추면 기근으로 멸망할 것이다. 이처럼 자연 발생적인 노동 의무를 두고 노예처럼 일한다고 여기는 사람은 없으리라. 자기가 해야 할 노동의무를 하는 건 노예가 아니다. 건강한 다른 사람의 노동 부담까지 짊어지는 게 노예다. 소득 평등이 이루어지면 즐겁게 일하고 생산적으로 놀게 될 것이다. 대부분의 사람들이 삶을 즐기는 기술을 도외시하고 있다. 상업적인 쾌락은 결국 사기다. 시간과 돈을 낭비하는 것보다 재미를 느끼며 일하는 것이 훨씬 신나고 기분 좋다. 지루한 노동을 하다 보면 고통스러운 변화에도 반색하게 된다. 그래서 휴가철이면 그 끔찍한 유람 열차에 몸을 싣게 되는 거다. 노동이란 해야 할 일을 하는 것이고, 여가는 하고 싶은 일을 하는 것이다. 휴식, 그러니까 아무것도 하지 않는 것은 노동에 수반되는 필연적인 결과지 결코 여가가 아니다. 노동에는 사람을 빠져들게 하는 힘이 있어서 마치 알코올에 빠져드는 것처럼 중독을 야기할 수 있다는 허버트 스펜서의 경고도 잊지 말자.

제25장 인구 문제만 심각해진다고?

모두의 소득을 늘리자고 제안해도 소득이 증가하면 사람들이 애를 너무 많이 낳아서 소득 증가의 혜택도 금세 사라질 것이라며 반대하는 사람들이 있다. 그런 주장을 하는 사람들은 지금도 지구에 인구가 너무 많아서 식량이 부족하고 빈곤한 것이라고 주장한다. 그러나 빈곤의 진짜 원인은 생산에 기여하지 않고 그저 옆 사람에게 기생하는 인구가 너무 많다는 데 있다. 사실 인구가 증가하면 노동 분업이 진행되어 인류 공동체가 풍요로워지지 절대 가난해지지 않는다. 물론 인구가 증가한다고 생산할 수 있는 부가 끝도 없이 증가하는 건 아니다. 인구 증가는 식량의 문제만이 아니라 공간의 문제이기도 하다. 인구 증가는 궁극적으로 바람직하지만 증가 속도를 고려해야 한다. 아무것도 생산하지 못하는 아기들이 너무 많이 태어나면 감당할 수가 없다. 지금은 전쟁과 전염병, 빈곤, 피임, 영아 유기에 의존해 인구조절이 이루어지고 있다. 자본주의 하에서는 기생 인구가 어마어마한 규모로 양산되어 괜한 인구과잉이 일어나고 과도한 영아사망률과 양극화를 야기했다. 소득평등화는 이러한 인위적 인구과잉을 없애고 인구를 자연적인 토대 위에 돌려놓을 수 있다. 대학에서는 이미 인구가 너무 많아서 수확체감의 법칙이 작동하고 있다고 가르치는데, 자본주의 때문에 정치학이 타락한 결과일 뿐이다. 다만 전체적으로 인구 부족인 상태에서도 국지적으로는 인구과잉이 일어날 수 있다는 점을 명심해야 한다.

제26장 기회의 평등은 헛소리다

사회주의는 사회주의자들이 내뱉는 말과 글과는 전혀 무관하다. "사회주의자는 누구인가?" 사회주의자를 자처하는 사람들 중 많은 이가 기회의 평등이라는 착각에 사로잡혀 있다. 하지만 진정한 사회주의는 성격이나 재능, 나이, 성별과 관계없이 모든 이에게 무조건적인 소득평등을 실현하는 것이다. 그리고 그것이 박애주의자나 자유주의자, 급진주의자, 무정부주의자, 민족주의자, 노동조합주의자, 그 밖의 온갖 불평분자들과 사회주의자를 구별하는 기준이다. 앙리 4세는 인정스럽고 친절하게도 "(일요일에는) 모든 백성이 닭고기를 먹게 하겠다"고 했으나 그 역시 사회주의는 아니다.

제27장 법제화되지 않으면 십계명도 무용지물

아마추어 개혁가는 개인의 노력만으로도 세상이 좋아질 수 있다고 믿는다. 하인에게 같은 식탁에서 함께 밥을 먹자고 강권하면 세상이 달라질 것 같은가. 불평등이 부자들 잘못이 아니듯 빈곤 역시 가난한 이들의 잘못이 아니다. 구호활동이나 개인의 자선, 빈민에게 호의를 베푸는 것 등은 사회주의와 전혀 무관하다. 사회주의는 빈곤과 빈민을 혐오한다. 빈곤을 완화하거나 빈민을 달래겠다는 게 절대 아니다. 부를 축소하고 부자를 줄이겠다는 것도 아니다. 사회주의는 사치와 빈곤을 가차없이 퇴치할 것이다. 고통을 양분으로 삼는 미덕은 영 께름칙하다. 실업수당을 주고 구호활동을 벌이는 것은 반란을 막기 위한 안전장치로 당장은 필요할지 몰라도 위험천만한 사회악일 뿐이다. "빵과 서커스$_{panem\ et\ circenses}$"로 달래는 우민화 정책을 남발하지 않으려면 현재 민간이 맡고 있는 고용을 정부가 장악해야 한다. 정부가 나라의 지주이자 고용주, 자본가가 되는 것이다. 사회주의의 목표를 이해하고 실현가능성에 대한 확신을 갖는 것만으로는 충분하지 않다. 십계명도 법이 없으면 무용지물이다. 사회주의는 처음부터 끝까지 법과 제도로 해결할 문제이지 개인의 의로움에 기댈 일이 아니다.

제28장 자본주의란 무엇인가?

자본주의는 무산주의로 부르는 게 마땅하다. 자본주의 폐지를 자본의 파괴로 오해해서는 안 된다. 자본주의는 토지와 자본을 사유재산으로 옹호하는 체제다. 사유재산(지주 권력)과 개인소유는 전혀 다른 문제다. 자본주의에 필수적인 사유재산은 사회주의와 양립할 수 없다. 기본적으로 보수당은 사유재산을 옹호하고 노동당은 사유재산 폐지를 주장한다.

제29장 뭘 사든 바가지를 쓸 수밖에 없다

우리는 물건을 살 때마다 불평등한 분배구조 때문에 피해를 본다. 원가에 살 수 있는 건 아무것도 없다. 사유재산이 모든 가격에 영향을 미치고 있다. 국가 전체 공급량의 평균 생산비용이 진짜 원가이고 그게 바로 사회주의가 목표하는 가격이다. 그러나 자본주의 체제에서는 가장 열악한 환경의 가장 비싼 생산비에 맞춰 공급가격이 결정된다. 석탄산업을 국유화하면 사람들은 평균원가에 석탄을 공급받을 수 있다.

제30장 세금 내는 게 달갑지 않다

사람들은 세금에 대해 불평이 많다. 정부는 공공서비스를 원가에 제공한다고 하지만 이미 정부 원가에는 정부가 지주나 민간업자들에게 지불하는 엄청난 비용이 포함돼 있다. 불로소득에 과세하면 그렇게 과다 청구되는 세금을 줄일 수 있고 더 나아가 지주와 자본가의 부담만으로 공공서비스를 제공할 수도 있다. 국세로 연금과 실업수당을 지급함으로써 소득재분배를 하고 있지만, 국세를 전쟁빚의 이자를 갚는 데 사용해서 일부 부자들만 배불리고 국가가 직접 해도 될 일을 민간업자에게 맡겨 혈세를 낭비하는 일도 늘 벌어지고 있다.

제31장 지방세가 누군가의 공돈이 되고 있다

지방세를 매기는 방식 때문에 지방세는 사실상 누진소득세 역할을 한다. 자본주의하에서 지방세 납부자는 어떻게 착취 당하고 있나.

제32장 결국 땅주인한테 뜯긴다

지대는 가장 기본적이고 직접적인 형태의 착취다. 여러분이 내는 집세가 건물의 값어치를 초과해서 형성되는 것은 지대의 영향이다. 특히 대도시 지역에서는 지주가 여러분을 살뜰히 착취한다. 지주는 생살여탈권과 추방권을 가지고 모든 개발의 가치를 가로챈다. 그래서 토지단일세를 주장하는 사람들이 나오는 것이다.

제33장 자본이란 무엇인가

자본이란 여윳돈이다. 따라서 먹고사는 일이 걱정인 가난한 사람은 자본가가 될 수 없다. 가난한 이들에게 근검절약을 설교하는 것은 사악한 짓이다. 자본은 어차피 썩어 없어지는 것이므로 제때제때 소비돼야 한다. 저축을 믿고 있다가는 호되게 당한다. 화폐의 가치는 그대로 유지되지 않는다. 자본은 썩히면 안 되고 미래소득을 증대하는 데 써야 한다.

제34장 투자는 자본의 지대를 창출한다

투자는 돈을 쓰면서 소득을 증대하려는 행위다. 식량은 바로 먹어치우지 않으면 썩어 없어진다. 여분의 식량을 당장 배고픈 사람에게 소비하게 하고 훗날 그들이 생산한 식량을 돌려받는 식으로 소비를 유예할 수 있을 뿐이다. 여윳돈이 있는 사람은 부동산 개발 사업에 직접 뛰어들 수도 있고 사업 능력이 없으면 그냥 돈만 대도 된다. 큰 회사들에는 언제나 여윳돈이 몰린다. 여윳돈 즉 자본이 식량 말고도 문명의 모든 이기를 만들어낸다.

제35장 투자를 민간에 맡기면 무슨 일이 벌어지나

문명사회에서 자본은 필수불가결하다. 그러나 자본의 사유화는 문명에 오히려 방해가 되고 투자의 우선순위를 엉망으로 만든다. 양조장이 먼저인가, 등대와 부두가 먼저인가. 더구나 민간사업자는 싼값으로 많이 팔려(박리다매) 하지 않고 비싼 값에 한정된 수량을 팔려(후리소매) 하며, 이윤이 같으면 무조건 품이 덜 드는 사업을 택한다. 사회적 효용은 상업적 이익으로 따질 수 없는 문제다.

제36장 반쪽짜리 축복에 그친 산업혁명

거대 자본이 형성된 덕분에 수많은 발명이 이루어지고 노동력을 절감해주는 기계장치가 개발됐으며 물건값이 저렴해졌다. 그러나 자본의 사유화로 산업혁명은 반쪽짜리 축복이 됐다. 산업혁명으로 야기된 여러 문제에도 불구하고 산업혁명 자체가 잘못은 아니다. 산업혁명 이전으로의 후퇴는 가능하지도 않고 바람직하지도 않다. 잘못은 산업혁명으로 얻은 여가와 부를 불평등하게 분배하는 자본주의에 있다.

제37장 자본에는 애국심이 없다

자본에는 국적이 없다. 자본은 어디로든 흘러갈 수 있다. 내수 시장에 규제를 가하면 아무리 이로운 규제라 하더라도 자본이 해외로 빠져나가는 빌미가 된다. 잉글랜드의 높은 주류세와 미국의 금주법은 주류 회사들이 아프리카로 눈을 돌리게 했다. 식민주의자들은 큰 돈벌이가 됐던 노예무역을 금지당하자 아프리카 사람들에게 오두막세 hut tax 등을 물려서 노동력을 착취했다. 영국 자본으로 다른 나라가 발전하는 동안 영국 내 산업자원은 방치되고 도시는 낙후된다. 자본가들은 대외 경쟁에 대해 불평하는데, 그게 다 자기 자본을 유출했기 때문에 나타난 결과다.

제38장 기생 국가로 전락한다

해외 투자로 거둔 이익이 국내에서 고용을 일으킨다고 해도, 그것은 어디까지나 기생적인 고용이다. 그렇게 고용된 사람들이 생산직보다 어쩌면 더 좋은 대우를 받을지도 모르고, 공업도시가 사라진 자리에 매력적인 휴양시설이 들어서서 모든 계층이 더 큰 번영을 누리는 듯한 느낌을 받을지도 모른다. 하지만 공장이 문을 닫는 바람에 갑자기 실직한 육체노동자들에게 알맞은 일자리는 제공되지 않는다. 그들은 그곳에서 없어져야 할 존재가 되고 실업수당으로 입막음을 당하거나 해외 이민을 권유받는다. 상황이 이렇게 돌아가는데 아무 조치도 취하지 않고 그저 보고만 있으면, 잉글랜드에는 호화로운 호텔과 환락의 도시가 들어서고 부유한 호텔 이용객과 호텔 종업원, 수입업자 및 유통업자 무리만 득실거릴 것이다. 우리 모두 외국의 조공에 전적으로 의존해서 살게 된다는 얘기다. 행여 조공을 바치던 나라들이 불시에 부재 자본가의 소득에 과세해서 조공을 없애 버리기라도 하면, 우리는 굶어 죽고 말 것이다.

Doles, Depopulation and Parasitic Paradise

제39장 어쩌다 제국주의

갓 수확한 자본이나 해외 유출이 가능하지, 광산을 파고 철도를 놓고 고정된 산업시설을 만드는 데 이미 소비된 자본은 해외로 내보낼 방법이 없다. 하지만 내수 시장이 포화상태에 이르거나 시장 환경에 변화가 생기면 자본가와 사업가들은 해외 시장을 개척해야 한다. 국제 교역은 그렇게 시작된다. 문명국과 교역을 하면 보호 관세나 현지 제조업체와의 경쟁이라는 장애물에 부딪힌다. 후진국은 관세도 없고 이렇다 할 제조업체도 없기 때문에 아주 짭짤한 시장이다. 하지만 교역선 승무원과 화물이 현지에서 학살되거나 약탈당할 위험은 방지해야 한다. 그래서 해외에 영국법을 적용하는 무역거래소를 설립한다. 무역거래소를 설립하면 영국제국의 전초기지가 마련되고, 그 경계가 영국의 새로운 국경이 된다. 국경의 치안을 유지하다 보면 곧 국경 너머 무법 지대도 편입해야 할 필요가 생긴다. 그렇게 제국은 무턱대고 성장하고 제국의 중심은 지구 반대편으로 이동한다.

제40장 아프리카로 떠난 첫 번째 무역선에서 1차세계대전까지

제국이 팽창하면서 파쇼다 사건 같은 충돌이 일어났다. 영국과 프랑스에 이어 독일도 아프리카에서 "양지바른 땅"에 욕심을 냈고, 이것이 1차세계대전(1914년~1918년)의 불씨가 됐다. 현대 전쟁은 자본주의적 통상 압력이 야기한 긴장 때문에 벌어진다. 인간 본성이 타락해서가 아니다. 그러니까 전쟁의 참사를 겪었다고 정치적 인간이기를 포기할 이유는 없다. 우리가 기념하는 것은 세계대전의 발발이 아니라 종전이다. 사태의 진짜 원인을 파악하자.

제41장 마법사의 제자

국제 무역 자체가 나쁘다는 게 아니다. 국가 간 교류를 하려면 국가 조직에 상응하는 국제기구가 필요하다. 초국가적 연합이나 연방은 대단히 바람직하다. 국경은 적을 수록 좋다. 그러나 자본주의는 어디서나 경쟁을 유발하기 때문에 모든 나라가 공동의 이익을 위해 연합하는 대신 개별적인 이득만 추구하고 있다. 민족자결과 독립에 반대하는 속내는 식민지 시장을 포기하고 싶지 않다는 것이다. 자본은 그 속성상 만족을 모르기 때문에 죽을 때까지 싸움을 멈추지 않는다. 그래서 자본주의 문명을 마법사의 제자에 비유한다. 마법사의 제자는 스승이 출타하자 빗자루에 마법을 걸어 자기 대신 물을 길어 오게 하는데, 끝도 없이 물을 길어오는 빗자루를 멈추는 방법을 몰라서 물에 빠져 죽을 위험에 처한다.

제42장 마법은 어떻게 시작됐나

분업은 개인을 무지하고 무능하게 만든다. 숙련된 장인은 한 사람이 다양한 능력을 갖추고 여러 가지 일을 해낸다. 그에 비해 분업화된 노동에 종사하는 사람은 업무 능력이나 지식 수준이 떨어진다. 아예 기술이 없는 사람이 기계만 돌리기도 한다. 애덤 스미스는 분업이 문명의 승리라고 낙관했지만 대량생산이 가능해진 대가로 우리는 많은 것을 잃기도 했다. 부는 증가하는데 개인은 무능해지는 상황에 대해 올리버 골드스미스와 존 러스킨, 윌리엄 모리스가 우려했다. 그러나 과거로의 회귀는 답이 아니다. 대량생산으로 늘어난 여가를 균등하게 분배하는 것이 해법이다.

제43장 상류층도 하류층도 무능해지다

노동자들이 충분한 여가를 누리는 것은 중요하다. 노동자들이 생산적 측면에서 무능해졌다고 해서 여가를 누리는 능력까지 저하된 것은 아니다. 그러나 불행히도 자본주의하에서 여가는 소득과 마찬가지로 잘못 분배되고 있다. 사람들은 두 계층으로 양분되어 한 계층은 일만 하고 여가는 전혀 누리지 못하는데 다른 계층은 일은 하지 않고 여가를 독식한다. 봉건제하에서는 지주가 모든 공공업무를 도맡아서 일과 여가의 쏠림이 없었다. 그러나 공공업무가 공무원 조직에 이관되면서 지주 또는 자본가 계층은 실질적으로 무능해졌다. 자본가 계층의 무능은 프롤레타리아의 무능보다 훨씬 심각하다. 이러한 무능은 자본주의 문명의 발전과 함께 심화되므로 자본주의 때문이라고 해도 무방할 것이다.

제44장 사업가 전성시대가 되다

산업적으로 무능해진 자본가와 프롤레타리아 사이에서 사업을 지휘하고 경영할 중간계급이 등장한다. 누가 중간계급이 되었나? 장자상속제로 재산을 물려받지 못한 유산계급의 작은아들들이 전문가와 사업가, 사무원이 되어 중간계급을 형성했다. 교육 분야의 공산화로 유산계급의 작은아들들과 그 후손은 물론 노동계급의 재능있는 자식들도 중간계급에 진출할 수 있게 됐다. 재산을 물려받지 못한 유산계급의 딸들에게도 전문직 진출의 길이 열렸다. 출산과 양육을 포함한 집안일을 여성이 독점하는 구조에서 문제가 되는 것은 남성의 역할이다.

제45장 뛰는 사업가 위에 나는 금융업자

자본 규모가 작은 회사들이 주를 이루던 시절에는 사업가가 "상황의 지배자"였다. 현대의 사업은 소자본 회사들이 감당할 수 없는 규모로 성장했다. 회사들이 주식회사가 되고, 주식회사들이 트러스트가 됐다. 소매상들이 체인점에 밀려나고 있다. 엄청난 자본을 요구하는 시대가 됐다. 그 결과 기업에 대규모 자본을 알선하고 자본의 활용을 부추기는 전문 금융업자들이 부상했다. 사업가는 회사 소유주이자 경영자에서 회사에 고용된 경영자로, 일개 종업원으로, 프롤레타리아로 전락했다. 소유와 경영이 분리되면서 아들이 아버지의 사업을 물려받을 수 없게 됐다. 기업에서 낡은 족벌주의가 사라진 것이 공익에는 부합했지만 사업가 계층의 쇠퇴를 초래했다. 대니얼 데포가 예찬했던 "중간계급"은 이제 사회에서 가장 버티기 힘든 계급이 됐다.

제46장 프롤레타리아가 조직화하다

"만국의 프롤레타리아여, 단결하라!" 중간계급 사업가가 프롤레타리아 노동자로 격하되면서 사회주의가 태동했다. 페이비언협회는 중간계급 단체를 표방하며 성공을 거두었지만, 다른 사회주의 단체들은 노동계급 단체를 표방하다 실패했다. 노동계급은 자본주의에 대항하여 조직화했지만 노동조합주의는 프롤레타리아 자본주의의 다른 이름일 뿐이다.

제47장 아동노동금지법을 부모들은 왜 반대했나

사업가든 노동자든 둘 다 가능한 싸게 사고 비싸게 팔려 한다. 노동시장에서도 노동을 사는 쪽과 파는 쪽의 이해가 충돌한다. 끔찍한 계급 전쟁이 벌어진다. 노동자들은 소위 자유민이라는 미명 하에 노예보다도 못한 처지에 놓인다. 카를 마르크스가 그 실상을 폭로했고, 착취를 막기 위해 공장법이 제정됐다. 공장법이 도입되면 망한다고 고용주들은 우려했으나 어디까지나 기우였다. 아이들의 벌이로 덕을 보고 있던 프롤레타리아 부모들이 오히려 극렬하게 반발했다. 노동 시장의 공급 과잉으로 노동 가격이 0으로 떨어졌다. 자본주의는 노동자들에게 적어도 호구지책은 마련해준다는, 맨체스터학파의 주장은 틀렸다. 실업자 예비군이 양산되고 빈민구제법이 생겼지만, 프롤레타리아는 혐오시설이 된 구빈원에 들어가느니 낮은 임금과 아동 착취를 받아들이는 편을 택한다.

제48장 노예의 노예

여자들에게는 개인 임금을 주지만 남자들에게는 가족 임금을 준다. 그렇게 프롤레타리아의 아내는 노예의 노예로 전락한다. 즉, 밥벌이는 남자가 하는 거고, 여자의 가사노동은 보수가 없으므로 노동으로도 여기지 않으며, 여자가 직접 임금을 받고 일할 때는 남자보다 적게 받아야 한다고 여기는 풍조가 자리잡았다. 여자의 재산을 보호하기 위해 유산계급은 부부재산계약을, 중간계급은 기혼여성재산법을 만들었다. 프롤레타리아 아버지의 임금에 기대 먹고사는 딸들이 대거 푼돈벌이에 나서면서 여성 노동자가 기아임금보다도 적은 돈을 받고 일하는 신세가 됐다. 남편이나 아버지에게 의지할 수 없는 여자들은 뼈 빠지게 일하면서도 배를 주리거나 성매매로 내몰리는 고통을 겪게 됐다. 죄를 짓는 일이 떳떳한 일보다 종종 벌이가 더 낫다. 자본주의는 여자가 결혼을 하든 안 하든 돈을 위해 성적인 관계를 맺도록 유인한다. 남자들도 매춘에서 자유롭지 못하다. 변호사, 의사, 사무원, 언론인, 의회의 출세 제일주의자에 이르기까지 남자에게도 정신적 매춘이 강요된다.

제49장 프롤레타리아의 자본주의, 노조가 부상하다

노동자들이 자본가들에게 저항하려면 무엇보다 먼저 연합해야 한다. 가사노동자와 농업노동자처럼 단독으로 일하거나 연극배우들처럼 구성원 간 계급 격차가 큰 노동자들 사이에서는 조합이 결성되기 어렵다. 공장직공과 광부, 철도 노동자들은 조합을 결성하기 쉽다. 조합의 무기는 파업이고, 그에 맞서는 고용주의 무기는 로크아웃이다. 최악의 경우 전쟁이 벌어진다. 맨체스터와 셰필드에서는 고의 파손을 비롯한 폭력 사태가 발생했다. 노조의 "태업"이나 자본가의 "생산량 제한"이나 모두 자본주의 논리를 따른 것이다. 노사 분규의 비용은 고스란히 공동체로 전가된다. 자본주의 사회에서는 노사 간 전쟁이 일어날 수밖에 없다. 토지와 자본에 적용한 자본주의 논리를 노동에 적용한 것이 바로 노동조합주의이기 때문이다. 고용주들은 노조를 범죄 집단 취급하며 억누르려다 실패하자 노조원 고용하기를 거부했고 경영자연합을 결성해 파업참가자들을 부당하게 괴롭혔다. 기계 도입으로 타격을 입은 노동자들은 시간임금 대신 부득이 성과임금을 주장하게 됐다. 기계화로 국민소득은 비약적으로 증가했지만 노동자들은 제 몫을 확보하는 데 실패했다.

제50장 프롤레타리아는 어떻게 의회를 움직였나

노동자들은 파업을 통해 쟁취한 권리가 지속되지 않는다는 것을 경험하고 공장법과 같은 법제화가 필요하다는 것을 깨달았다. 노동자 대표들이 의회에 진출하고 독립 노동당이 창설됐다. 공장법으로 처음에는 아이와 여자들이 보호받았지만 결과적으로는 남자들도 보호받게 됐다. 기계를 켜고 끄는 여자와 아이들이 퇴근하면 남자들도 작업을 멈출 수밖에 없었기 때문이다. 의회에서 노동자 대표는 소수에 불과했는데도 공장법이 통과될 수 있었던 것은 자본가 계급이 분열했기 때문이다. 산업 자본가들(자유당)은 1832년 선거법개정으로 지주들(보수당)의 의회 독점에 종지부를 찍었고, 지주들은 1833년 공장법으로 반격을 시도했다. 이 두 자본가 정당은 투표권을 미끼로 대중의 지지를 얻기 위해 경쟁했다. 그 결과 모든 프롤레타리아가 투표권을 갖게 됐다. 그 사이 중간 계급은 사회주의를 부상시키며 노동자들의 의식화를 주도했다. 페이비언협회는 중간계급 조직으로 기존의 모든 정치 조직에 스며드는 데 성공했지만, 산업 노동자들에 대해 잘 몰랐

던 여타 사회주의 단체들은 노조를 대체하는 데 실패했다. 사회주의 단체들은 노조와 정치적으로 연합해 노동당을 결성하고 의회에 진출했다. 그렇지만 노동조합이 사회주의를 추구하는 것은 아니다. 노동자들이 지배하고 중간계급과 유산계급이 노동자의 이익을 위해 복종하는 자본주의를 지향할 뿐이다. 프롤레타리아는 수적으로 우세하기 때문에 노조 자본주의는 다수에게 이익이 될 것이다. 하지만 유산계급과 식자층은 그러한 노조 자본주의를 도저히 받아들이지 못하고 거기서 벗어나기 위해 결국에는 사회주의를 외치게 될 것이다.

제51장 국가의 자본을 어떻게 계산할 것인가

자본은 기계와 운송수단 등 노동에 도움이 되는 장치들로 바뀌지만, 그 기계와 운송수단 등이 다시 현금화될 수 있다고 생각하면 오산이다. 그런데 왜 잇속에 밝은 사업가들은 그게 가능할 뿐만 아니라 매일 일어나는 일이라고 여기는가. 사람들이 착각에 빠지는 이유는 그런 거래가 단지 몇몇 사람에 의해 따로따로 이루어지기 때문이다. 자본세를 자본가 계급 전체에 한꺼번에 부과하면 그런 거래는 절대 일어날 수 없다. 자본가의 소득이 실제일 뿐, 자본은 노동이나 기타 설비로 전환되는 과정에서 소비되어 없어지기 때문에 허상이다. 상속세는 명목상 자본세이지만 그 자본은 실재하지 않는다. 자본세는 이론적으로나 실제로나 터무니없다. 국가의 부를 자본 가치로 평가하는 것은 미친 짓이다.

제52장 금융시장에서는 여윳돈과
연수입을 교환한다

금융시장은 여윳돈을 사고파는 시장이 아니다. 여윳돈을 꾸는 시장이다. 꾸는 것은 빌리는 것과 다르다. 빌린 것을 바로 써버려서 고대로 돌려주지 못하면 꾸는 것이다. 여윳돈을 꾼 사람이 꿔준 사람에게 지불하는 여윳돈 사용료를 상업계나 구시대적 경제학에서는 "금욕에 대한 보상"이라고 부른다. 하지만 채무자가 채권자에게 신세지는 것만큼 채권자는 채무자에게 신세를 진다. 자본(여윳돈=여유식량)은 쓰지 않으면 썩어 없어지기 때문이다. 그래서 돈을 빌려주려면 돈을 내야 하는 마이너스 금리도 발생한다. 금융시장에서 일어나는 거래의 핵심은 현금 뭉칫돈을 얻기 위해 연수입을 파는 것이다. 가난한 사람들은 높은 이자를 지불한다. 정부와 대형 은행, 대기업만이 은행금리로 돈을 빌릴 수 있다. 주식과 회사채는 기업이 뭉칫돈을 빌리는 방편들이다. 증권거래소에서 기존 회사에 투자한다고 실제 산업에 대한 투자가 이루어지는 것은 아니다. 그렇다고 신규 회사에 직접 투자하자니, 사기꾼

회사나 초기 자본금 부족으로 망하기 쉬운 회사들을 가려내기가 쉽지 않다. "세 번째 회사에 들어가야 돈을 번다." 진취성, 공공심, 양심, 장밋빛 전망으로 포장된 위험을 경계해야 한다.

제53장 투기란 무엇인가

도박꾼과 결혼하는 것을 피하려면 투기가 뭔지 알아야 한다. 갖고 있지도 않은 주식을 팔고 내지도 않을 값을 부르는 게임이 투기다. 어떻게 이것이 가능한가. 증권거래소의 결산일은 14일마다 돌아오지만 그 사이 주가는 끊임없이 변동하기 때문이다. 뜨내기 중개소에서는 어떤 식으로 투기가 일어나는가. 나라를 부유하게 하는 데 아무 도움도 안 되는 투기에 인간의 에너지와 배짱, 잔꾀가 매일 심하게 낭비되고 있다.

제54장 은행은 언제 위험해지는가

사업상 여윳돈이 필요하면 대개는 은행에서 꾼다. 초과인출과 어음할인은 은행이 돈을 꿔주는 방식이다. 은행금리란 중앙은행이 받는 돈의 사용료다. 은행이 굴리는 여윳돈은 어디서 나오나. 은행 고객들이 한꺼번에 잔고 인출을 하지 않기 때문에 은행에는 돈이 쌓인다. 신용이란 무엇인가. 신용은 고객의 상환 능력, 즉 고객이 외상으로 당겨쓴 여유식량을 갚을 수 있을 것인지에 대한 은행의 평가이고 지극히 추상적인 개념이다. 신용은 자본이 아니다. 투자된 자본처럼 신용은 허상의 영역에 있다. 허상인 신용을 실재하는 자본과 혼동하는 것은 잇속에 밝은 사업가들에게서 흔히 나타나는 위험한 망상이다. 그러한 망상이 "버블"을 만들어낸다.

제55장 정직하지 못한 정부가 돈의 가치를 떨어뜨린다

화폐는 매매의 수단이자 가치의 척도다. 금화는 화폐로 쓰이지 않더라도 금 자체가 얼마든지 다른 용도로 쓰일 수 있기 때문에 가치가 안정적으로 유지된다. 정직하지 못한 정부가 화폐 가치를 떨어뜨리려 할 때 위험한 것은 지폐다. 채권자를 등치려는 정부 때문에 화폐 가치가 하락하는 현상을 '인플레이션'이라고 한다. 제1차세계대전 이후 독일과 오스트리아, 러시아 정부는 돈을 마구 찍어서 인플레이션을 초래했다. 반대로 화폐 가치가 상승하는 현상은 '디플레이션'이라고 한다. 화폐 가치를 안정적으로 유지하는 것이야말로 정부의 최우선 과제다. 어떻게 안정성을 유지할 수 있을까? 전반적인 물가 수준이 상승하거나 하락한다면 화폐 가치에 변동이 생긴 것으로 보고 조치를 취해야 한다. 수표를 사용하고 어음교환소를 설립하고 영란은행이 중앙은행으로서 은행들의 은행 역할을 하면서 화폐 발행량이 감소했다. 공산주의가 확대되면서 잔돈 쓸 일은 더욱 드물어질 것이다. 본질적으로 값어치가 있는 주화를 사용하는 것이 가장 안전하고 가장 안정적이다.

제56장 조폐국처럼 은행은 국유화해야 한다

조폐업은 반드시 국유화해야 한다. 법정통화는 오직 정부만 발행할 수 있기 때문이다. 개인이 발행하는 수표나 어음 같은 것들은 법정통화가 아니고 법정통화에 대한 불안정한 권리증일 뿐이다. 법정통화는 재화에 대한 권리증이며 정부가 보증한다. 그래서 조폐국 국유화는 당연시된다. 알고 보면 은행 국유화도 그만큼 당연하다. 은행을 국유화하면 금융업자들이 돈놀이로 폭리를 취하는 것을 막고 누구에게나 자본을 싸게 공급할 수 있다. 지방에서는 이미 은행 국유화가 진행 중이다. 은행업은 그렇게 특별한 일이 아니다. 현재 민간 영역에 고용된 은행원들이 공무원이 된다고 달라질 것은 없다.

제57장 국유화하려면 반드시 보상해야 한다

은행이 국유화되면 주주들은 어떻게 되는가? 정부가 은행 주주의 주식을 매수하면서 그 비용을 자본가 전체에 부과하면 돈 한 푼 안 들이고 은행을 국유화하게 된다. 표면상으로는 보상이지만 실제로는 자본가 계급 전체에게 몰수의 부담을 나눠지게 하는 것이다. 우리는 늘 그렇게 해왔다. 보상 없는 국유화를 외치는 정치인은 기본이 안 된 것이므로 선거에서 그런 후보에게 표를 줘서는 안 된다. 정부가 시장에 뛰어들어 경쟁을 통해 민간기업을 축출할 수도 있겠지만 그런 방식은 지나치게 소모적이다. 더구나 전 국민에게 고른 서비스를 제공하려면 경쟁은 바람직하지 않다. 사기업은 경쟁상대가 몰락하든 말든 상관하지 않지만 국가는 그럴 수 없다.

제58장 어설픈 국유화는 안 하느니만 못하다

국유화는 이론적으로 타당하고 추진 비용을 걱정할 필요도 없지만, 실제로는 몹시 어려운 사업이다. 중앙부처를 조직하고 국영산업과 연계해서 전국적으로 서비스를 제공해야 한다. 안정되고 고도로 조직화된 국가에서만 가능한 일이다. 혁명과 선언만으로는 어떤 것도 국유화할 수 없다. 정부는 증세를 피하고자 이미 국유화된 사업도 파괴하고 약탈할 수 있다. 그러한 약탈을 막기 위해 유권자들은 바짝 경계하고 예의주시해야 한다.

제59장 보상 없이 몰수하자고?

분노한 이상주의자들은 보상 없이 직접적이고 보복적인 몰수를 하자고 시끄럽게 요구한다. 자본에 과세하면 자본가들은 정부에 재산을 넘길 수밖에 없다. 자본세로 재산을 몰수할 수 있다는 주장은 언뜻 그럴싸하게 들린다. 하지만...

제60장 기생충의 기생충들이 저항한다

부자들이 일자리를 주기 때문에 몰수에 반대한다는 사람들이 있다. 무위도식하는 부자들에게 기생하는 노동자는 기생충의 기생충이고 그 수는 생각보다 많다. 부자에게서 정부로 구매력이 이전되면 부자에게 기생하고 있던 산업과 그 종사자들의 상황이 어려워진다. 갑작스럽게 대량의 재산권이 이전되면 파산과 실직이 급속도로 퍼질 것이다. 따라서 정부는 재산 몰수를 통해 얻은 수입을 곧바로 지출할 준비가 되어 있어야 한다.

제61장 안전밸브가 작동하지 않는다

정부는 몰수한 돈을 실업수당으로 나눠줄 수도 있고, 국유화한 은행을 통해 꿔줄 수도 있고, 국유화한 산업에서 임금을 올려줄 수도 있다. 하다못해 전쟁에 써버릴 수도 있다. 이러한 방안들이 제때 작동해서 돈의 적체를 막을 수 있을까? 국가에 돈이 잘 돌게 하는 것은 동물의 혈액 순환만큼이나 중요한 문제다. 불로소득을 한꺼번에 전부 몰수한다면 런던 재무부에 돈이 적체될 것이다. 지방정부에 교부금을 지급하거나 도로, 산림, 수력발전, 간척, 전원도시 조성 같은 공공사업을 벌이는 것은 돈의 적체를 해소하고 사회적 긴장을 완화하는 안전밸브로 작동할 수 있다. 하지만 안전밸브가 제 때 작동하기는 쉽지 않다. 제 때 작동하게 하려면 오랜 시간에 걸친 계획과 준비가 반드시 필요하다. 전면적인 국유화는 격렬한 반발만 불러일으키고 사회주의 실현을 심각하게 가로막을 뿐이다. 국유화는 한 번에 하나씩, 반드시 보상을 통해 이루어져야 한다.

제62장 지금까지 몰수가 잘 이루어진 까닭은?

소득에 대한 몰수는 이미 활발하게 실시되고 있다. 소득세, 부유세, 상속세가 다 몰수다. 재무부 장관의 예산안은 과세 계획이나 다름없다. 글래드스턴은 소득세를 없애려고 했다. 웬만해서는 자본가들이 주로 부담하는 소득세는 걷지 않겠다는 게 자본가 정당들의 공통된 생각이다. 반대로 프롤레타리아 노동당은 세금은 자본가부터 내야 한다고 생각한다. 이러한 견해차가 모든 예산 논쟁의 밑바탕에 깔려있다. 상속세(사망세)는 이론적으로 불합리하고 현실에서도 잔인하고 불공정할 때가 많지만, 바로 그 상속세 덕분에 영국 보수당 정부는 사회주의를 표방하는 다른 어느 나라보다도 사회주의적 몰수에 성공할 수 있었다. 현금수익이 아니라 자본가치를 기준으로 과세하는데도 상속세 제도가 무리없이 유지될 수 있는 이유는 납세자가 재산소득으로 납부할 수 있는 수준(행여 소득이 부족해도 보험금을 타거나 대출을 통해 납부할 수 있는 수준)으로 과세하고 정부가 그 돈을 즉각 지출로 풀기 때문이다. 즉시 재분배할 수 있는 소득이라면 몰수해도 문제 될

게 없다. 그러니까 정부는 반드시 생산적으로 지출할 수 있는 만큼만 몰수해야 한다. 이것이 사회주의 과세의 대원칙이다.

제63장 전쟁에 쓸 돈이 있으면 그만큼 몰수도 가능하다?

전쟁 비용은 지체없이 지불해야 한다. 약속어음으로는 아군을 먹일 수도 없고 적군을 죽일 수도 없다. 우리 정부는 병력은 징발했지만 돈은 징발하지 않았다. 그에 대한 노동당의 항의는 묵살됐다. 전쟁자금은 일부만 세금으로 조달하고 대개는 자본가들에게서 꿨다. 그 결과 자본가들에게 이자를 지급하기 위해 자본가들에게서 세금을 더 많이 걷어야 하는 이상한 상황이 됐다. 자본가 계급은 전체로 보면 돈을 잃고 있다. 정부는 전쟁자금을 빌려주지 않은 피터의 돈을 빼앗아 전쟁자금을 빌려준 폴에게 이자를 치르는 셈이다. 전시공채를 가진 자본가들이 다른 자본가들 덕에 돈을 버는 구조이기 때문에 자본가들이 다 같이 과세에 반대하며 들고 일어날 일은 없다. 하지만 노동당의 주장대로, 국채 이자를 마련하려고 세금을 걷느니 아예 국채를 없애버리는 게 자본가 계급 전체에게는 더 이득이다. 전쟁자금을 마련하기 위해 정부는 돈을 꿔서 (공채를 발행해서) "국가기금을 조성했다." 산업에 투자된 자본은 생산설비를 남기지만 전쟁에 투자된 자본은 전부 파괴적으로 소비되고 아무것도 남기지 않는다. 전시공채는 중앙은행 장부에 자본으로 기재돼 있지만 사실상 빚에 불과하다. 그러니까 영국은 실제로 있지도 않은 자본 70억 파운드에 대한 이자를 부담하느라 가난해지고 있다. 정부의 신뢰도가 떨어질까 봐 채무 상환을 대놓고 거부할 수는 없지만 일부 빚은 은근슬쩍 상환을 거부할 수밖에 없다. 전쟁으로 자본을 엄청나게 허비하는 바람에 전쟁 이전보다 생산이 확 줄었기 때문이다. 우리는 전시공채 채권자들과 다른 자본가들 사이에서 소득을 재분배하는 방식을 취한다. 이제 자본가들은 스스로에게 지불할 이자뿐만 아니라 실업수당까지 지불하게 생겼다. 정부는 전쟁으로 프롤레타리아를 무한정 고용할 수 있게 되자 막대한 자본을 빌리고 몰수해서 전쟁을 치렀지만, 전쟁이 끝나자 그러한 고용을 유지하지 못해서 프롤레타리아를 궁핍한 처지로 내몰게 됐다.

제64장 기습 과세는 나쁘다

자본과세는 바보 같은 짓이지만 절대로 일어나지 않는 일은 아니다. 전쟁 채무를 청산해서 자본가들에게 이자 부담을 시키지 않겠다며 자본주의 정부도 자본과세를 할 수 있다. 자본과세로 주식과 채권을 세금으로 거둬들인다면 주식시장이나 금리를 교란하지 않고 현금 한푼 들이지 않고도 대내채무를 청산할 수 있다. 그러한 자본세는 매년 예고되는 경상세와 달리 임시세로 부과되므로 사유재산에 대한 기습공격이나 다름없다. 그러한 과세가 합법적인 선례로 남는다면 사회 존속에 필수적인 안정성을 파괴하고 정부의 근간을 송두리째 흔들 것이다. 재산을 강탈하는 재무부 장관은 전혀 바람직하지 않다. 소득에 대한 과세와 보상을 통한 국유화가 일상으로 자리잡게 하는 편이 훨씬 순조롭고 바람직하다.

제65장 천국으로 가는 길은 알았다

사회주의를 실현하는 데 방법이나 절차는 걸림돌이 아니다. 평등해지고자 하는 의지가 관건이다. 정부가 소득 분배를 완전히 장악하고도 불평등한 분배를 할 수 있다. 그래서 사회주의에 가장 완고하게 반대하는 사람들도 몰수나 국유화 같은 사회주의 정책에 찬성한다. 무지한 상태로 사회주의를 추구하다 보면 사회주의가 아니라 국가자본주의에 다다를 수 있다. 둘 다 같은 길을 가는 듯하지만 마지막 분배 단계에서 갈린다. 사회주의 실현을 위한 실질적 해법을 제시해도 쓸데없는 걱정에 사로잡혀 두려움을 떨쳐내지 못하는 사람들이 있다. 그들은 문제도 해법도 전혀 이해하지 못한 채 사회주의라고 하면 무조건 불을 지르고 파괴하는 행위를 떠올린다. 따라서 우리는 사회주의가 경제 말고 일상적인 삶에 어떤 변화를 가져올 것인지도 함께 고민해야 한다.

제66장 세금으로 퍼주기는 가짜 사회주의다

1차세계대전을 치러 보니 산업·서비스 국유화나 평등한 분배를 의도하든 의도하지 않든 정부는 일부 시민들의 소득을 몰수해 다른 시민들에게 건네줄 수 있다. 특정 계층이나 직업군, 파벌이 정부를 장악하면 국가권력을 이용해 사리사욕을 도모한다. 물론 겉으로는 개혁이나 정치적 과제를 수행하는 척할 것이다. 진짜 개혁이 아니라 퇴보와 실책에 불과하더라도 누군가에게는 돈이 되기 때문에 어떤 정책이든 지지자가 있게 마련이다. 공원과 전원도시, 보조금, 기부금을 받는 학교 등의 사례를 보면 자본주의와 노동조합주의가 국세와 지방세 그리고 민간의 자선을 어떻게 이용해먹는지 알 수 있다. 1925년 정부가 탄광주들에게 준 보조금은 사회주의도 자본주의도 아니고 아무 계산 없는 퍼주기였다. 자본가들이 장악한 중앙정부가 국세로 탄광주들에게 보조금을 지급하자 프롤레타리아가 장악한 지방정부는 지방세로 노동자들에게 원외구호를 제공하기 시작했다. 보조금과 원외구호는 모두 도덕적 해이를 유발한다. 보조금에 원외구호까지 실시하는 것은 초의 양 끝에 불을 붙이는 셈이다. 특정 개인 혹은 집단이 자기들의 이익을 위해 정부의 세금 징수권을 의식적이고 의도적으로 남용할 위험이 더욱 커지고 있다. 미국 기업들은 그런 식으로 이익을 극대화하기 위해 최고의 인재들을 채용한다. 미국의 노동조합들도 똑같이 따라하고 있다. 결과는 놀랍다. 영국의 노동조합들도 그러한 방법을 채택한다면 어떻게 될 것인가. 대기업 자본주의와 귀족 노조주의가 사사로운 목적으로 정부를 좌지우지하는 것을 막으려면 사회주의자들은 계속 소득평등화를 주장해야 한다.

제67장 보수주의는 자본주의에 잡아먹힌다

변하지 않고 머물러 있는 것은 없다. 문자 그대로 옛것을 고수한다는 뜻의 보수주의는 불가능하다. 인간 사회는 빙하와도 같다. 고정불변인 것처럼 보이지만 항상 움직이고 변화한다. 현재 일어나고 있는 변화와 앞으로 일어날 변화를 이해하기 위해서는 이미 일어난 변화를 이해해야 한다. 우리가 일상에서 만나는 사람들에게서 자본주의의 발달 과정을 단계별로 볼 수 있다. 그러한 사례들을 연구하지 않으면 방향을 잘못 잡고 타락하거나 분노에 사로잡히게 된다. 자본주의가 이익을 좇아서 벌인 모험은 뛰어난 개인들의 사심 없는 업적이 부각되면서 우리 종족의 빛나는 역사로 묘사되곤 한다. 반면, 자본주의가 이익을 좇다가 벌인 수치스러운 일들은 전부 자본가들의 탐욕으로만 매도되고 자본가의 대리인들이 저지르는 만행은 간과되기 일쑤다. 둘 다 일방적인 주장일 뿐이므로 무시해도 좋다. 자본가는 천재일 수도 있고 바보나 범죄자일 수도 있다. 그저 여윳돈이 있고 그 여윳돈에 다른 사람들이 손대지 못하게 할 수 있는 법적 권리만 있으면 자본가다. 자본가로 사는 데는 특별한 재능이 필요없다. 보통사람의 신중함이나 이기심을 능가하는 자질도 필요없다. 변호사와 주식중개인, 은행가, 사업가가 알아서 자본을 끌어다 프롤레타리아에게 먹이고 그들이 먹어치운 자본을 이자로 바꿔놓는다. 투자는 여윳돈을 가장 잘 쓰는 방법이다. 돈은 적선할 때보다 투자할 때 훨씬 유익하게 쓰인다. 그렇지만 사업가와 은행가는 기존 산업과 내수시장의 수익성이 고갈돼야 비로소 모험적이고 실험적인 천재들의 탐험과 발명, 정복에 자금을 댄다. 주주들에게 돈만 벌어줄 수 있으면 자기들 사업이 국가와 세계에 어떤 영향을 미치든 개의치 않는다. 자본은 썩어 없어지지 않으려고 수단과 방법을 가리지 않고 끊임없이 투자처를 찾아나선다. 옛것을 고수하려는 단순한 태도로는 그렇게 냉혹하고 불가피한 현실에 대응할 수 없다. 기업들이 영국 국기를 앞세우는 바람에 인도와 보르네오와 로디지아의 국방비까지 우리가 부담해야 할 판이다. 이러다 우리의 수도가 미들섹스에서 아시아나 서아프리카로 옮겨갈 수도 있다. 그래도 우리는 속수무책일 수밖에 없다. 아직은 짐을 싸지 않아도 되지만 문명과 지리가 변하지 않고 그대로 있을 것이란 생각은 버려야 한다.

제68장 폭주하는 자본주의는 통제가 필요하다

통제만 된다면 움직임은 좋은 것이다. 자본의 움직임은 통제가 되지 않아서 위험하다. 자본주의와 함께 폭주하는 세력들을 통제하는 것에 문명사회의 미래가 달려 있다. 따라서 그 세력들에 대해 아는 것은 반드시 필요하다. 대다수가 잘 모르고 있다. 정부도 유권자도 모르기는 매한가지다. 하지만 정부와 국민 사이에는 중요한 차이가 있다. 정부는 통치의 필요성을 알고 있으며 통치하고자 한다. 국민은 그런 걸 알지 못한다. 그저 통치에 분노하고 자유를 갈망한다. 그러한 분노는 민주주의의 커다란 약점이다. 엘리자베스 여왕이나 크롬웰이 통치하던 시절에는 사람들에게 투표권이 없었기 때문에 대중의 분노가 크게 문제 되지 않았다. 부르주아가 투표권을 획득하면서 정부에 대한 저항이 무시할 수 없는 수준이 됐다. 프롤레타리아도 투표권을 획득해 부르주아와 비슷한 태도를 취했다. 자본주의를 제어하기 위해 정부가 그 어느 때보다 권한을 강화하고 세수도 늘려야 할 시기에 하필 대중의 저항이 거세진 것이다. 결국 의회가 마비되고 독재를 요구하는 목소리가 높아졌다. 이제 유럽은 강력한 지도자를 찾고 있다. 우리는 제대로 통치할 줄 모르는 상태와 무턱대고 통치에 저항하는 상태를 오락가락하며 권력 남용과 방종의 사례만 양산하고 있다. 통치 권력과 국민의 자유를 어디까지 허용할지 규명해야 한다.

제69장 자본주의 사회에서는 누가 자유를 누리는가

우리는 자유롭게 태어나지 않는다. 자연이라는 최강 폭군에게 예속되어 있다. 영국 같은 고위도 지역의 자연은 우리에게 혹독하게 일을 시킨다. 자연이 시키는 일을 보다 적은 노동으로 해내는 방법을 개발하는 것, 즉 노동을 줄이고 여가를 얻는 것이 이제까지 상업 문명을 이끈 핵심이다. 사실 자유는 곧 여가다. 정치적으로 자유로워져도 여가가 늘지 않는다면 자유도 늘지 않는다. 하루 일과를 떠올려 보자. 수면과 식사, 휴식, 이동에 드는 시간은 여가가 아니다. 하루 7시간 일한다면 일하지 않는 17시간 중에 기껏해야 6시간을 여가로 쓸 수 있다. 사람들은 여가를 얻기 위해 자산가가 되려고 한다. 임금노동자에게 여가는 돈보다 중요하다. 사람들이 자산을 탐내는 것도 자산이 있으면 최대한의 여가를 누릴 수 있기 때문이다. 여가에는 자유가, 자유에는 책임과 자기 확신이 따르기 때문에 여가를 두려워하는 사람들도 있다. 그런 부류는 지시를 받으며 일하고 싶어 해서 가사서비스에 종사하거나 군인이 되려고 한다. 기계문명의 발달로 국민총생산은 물론 국민

총여가도 늘어났다. 그러나 지금의 여가 분배는 잘못됐다. 잘못을 바로잡기 위해 여가를 균등하게 분배한다면? 가령 4시간 근무제를 일괄 도입한다고 해보자. 임신과 육아, 예술, 과학, 정치는 정해진 시간만큼만 일하고 나머지 시간에는 손을 놓을 수 있는 일이 아니다. 그러니까 4시간 근무제라는 것은 노동시간을 정하는 대략의 기준이 될 수 있을 뿐이다. 현실에서는 반복적인 일이냐 창의적인 일이냐에 따라서 한 달에 6일 근무가 될 수도 있고 일 년에 두 달 근무가 될 수도 있으며 조기 은퇴가 될 수도 있다. 여가시간에도 완전한 자유를 누리는 것은 불가능하다. 법이 없으면 여가도 보장되지 않는다. 무턱대고 사회주의를 노예제도와 동일시하는 것은 여가와 그에 따른 자유를 최대한 보장하는 사회주의의 본질을 흐리는 것이다.

제70장 재능 있는 사람들이 왜 교활해지는가

모두가 함께 잘살기 위해 사회 전체의 부를 늘리는 게 아니고 단순히 남보다 더 많은 몫을 차지하기 위해 재능을 쓰는 것은 사회적으로 바람직하지 않다. 그런데 지금 우리 사회는 재능있는 사람들이 어떻게든 남보다 더 갖겠다는 욕심을 부리게 만든다. 유명 예술가나 외과의사, 스포츠 챔피언 등은 특별한 재능으로 엄청난 소득을 올린다. 그래도 그들은 본인들이 직접 일해서 버는 것이고 산업이나 정치를 움직이는 것은 아니다. 희소한 재능 덕에 돈을 버는 경우이기 때문에 희소가치가 떨어지거나 정부의 과세 정책이 달라지면 그들의 소득은 얼마든지 제한될 수 있다. 소득평등이 보편화되면 이따금 희소한 재능으로 막대한 소득을 올리는 사람이 있다는 게 문제가 되지는 않을 것이다. 그러나 남을 부리는 재능의 경우는 얘기가 다르다. 남을 부리는 재능이 있는 사람이 막대한 소득을 올리면 사회는 위험해진다. 남을 부리는 재능이 있다는 것은 산업과 조직 활동에 반드시 필요한 경영이나 통솔에 능력이 있다는 것이다. 그러한 능력이 요령 있게 발휘되면 사람들이 싫어하지 않는다. 대개는 스스로 생각할 필요없이 지시에 따르는 것을 좋아한다. 권위에 복종하는 것은 사람들 구미에 맞는다. 하지만 자본주의가 소득에 따라 계층을 나누면서 권위에 대한 반감을 불러일으킨다. 자연스러운 권위와 복종을 위해 반드시 필요한 사회적 평등을 파괴하는 것이다. 노예처럼 부리고 모욕하고 발길질해야 말을 듣는 태만한 계층과 그렇게 관리하는 노예감독자 계층도 만들어낸다. 권위에 대해 막연한 거부감을 느끼는 것도 문제지만 권위 행사를 꺼리는 것은 더욱 골치 아픈 문제다. 다행히 재능이 뛰어난 사람들은 특별한 보상이 주어지지 않아도 재능을 발휘한다. 재능에 걸맞은 자리만 마련해주면 된다. 공직 사회에서는 재능있는 사람들이 과도한 소득을 요구하지 않는다. 진정한 숙녀와 신사는 돈을 보고 일하지 않는다. 하지만 자본주의 사회에서는 그들도 상스럽게 돈을 밝힐 수밖에 없다. 경영자와 금융업자가 되어 남을 부리는 능력만 잘 발휘하면 국민소득의 막대한 부분을 "재능의 지대"로 가져갈 수 있다. 지대는 토지, 자본, 노동의 수익성 차이 때문에 지불하는 값으로 지대의 사유화가 문제다. 지대를 없앨 수는 없지만 국유화할 수는 있다. 경영자와 노동자 중 누가 더 필요한 존재인지를 따지는 것은 무의미하다. 지시할 줄 아는 경영자는 노동자에게는 물론이고 지주와 자본가에게도 필요하다. 지시받고 일하는 노동자도 모두에게 필요하다. 국유화와 소득평등화는 지대를 사적으로 전용할 수 없도록 토지와 자본의 지대는 물론이고 재능의 지대까지 사회화하는 것이다.

제71장 노동당이 집권한다고 사회주의가 실현될까

사회주의 정부만 사회주의 정책을 펴는 게 아니다. 반反사회주의 정부들도 지금까지 이러저러한 사회주의 정책을 써왔고 앞으로도 그럴 것이다. 노동당은 나날이 성장하고 있으며 압도적 다수를 차지하는 프롤레타리아 유권자에 힘입어 머지않아 하원을 장악할 것이다. 거대 여당이 됐을 때 노동당은 타협하지 못하는 여러 계파로 나뉘어 의회정치를 마비시킬 수도 있다. 당내 다수를 차지하는 세력이 사회주의가 무엇을 의미하는지 정확히 알지 못하거나 그 뜻에 공감하지 못한다면 17세기 장기의회처럼 의회가 사분오열될 것이다. 분열의 위험이 노동당에만 있는 것은 아니다. 어느 정당이든 의회를 완전히 장악하면 사분오열하다 결국 독재를 초래하기 십상이다. 1924년 보수당은 러시아에 대한 공포 분위기에 힘입어 총선에서 압승을 거뒀지만 이후 당내 결속이 거의 불가능했다. 거대 여당은 내각이 하는 일에 힘을 실어주기는커녕 내부 분열로 당을 약화시킨다. 남아프리카 전쟁(보어 전쟁)으로 하원을 장악한 거대 여당은 부패했고 은밀하게 전쟁 준비를 하다 결국 1차세계대전이 터졌다. 사회주의를 실현하는데 의회가 반드시 도움이 되는 것은 아니다. 사회주의는 정치적 격동이나 파란과 무관하게 추구해야 한다.

제72장 영국의 정당제도는 변화가 필요하다

사람들은 영국의 정당제도인 내각제의 실체를 잘 모른다. 내각제는 의원도 유권자도 소신껏 투표할 수 없게 만든다. 하지만 당 지도부만 유능하면 일반 의원들의 자질은 아무래도 상관없다는 이점도 있다. 내각제는 윌리엄3세가 프랑스와 전쟁을 하기 위해 도입했다. 내각제로 집권 여당이라는 것이 생기면서 당에 대한 충성도가 높은 유권자들이 아니라 당에 개의치 않고 마음 가는 대로 투표하는 부동층이 총선 결과를 좌우하게 됐다. 기본적으로 내각제는 절대다수당인 여당과 절대소수당인 야당이 대립하는 구조다. 무소속 의원들이 대거 당선된다면 하원에 군소정당이 난립할 것이다. 소수정당은 여럿이 연합해서 의회의 과반을 확보해야만 대표를 내세워 내각을 꾸릴 수 있다. 그렇게 형성된 연합내각은 결속력도 없고 오래가지도 못한다. 지금의 프랑스 의회가 단적인 예다. 영국 하원에서도 같은 일이 벌어질 수 있다. 내각제 말고 다른 대안은 없을까. 지방의회는 내각을 구성하지 않고 상임위원회를 통해 행정을 관장한다. 내각제 이전에 왕이 의회에서 당과 관계없이 이런저런 위원회를 구성하던 방식이 지방에서 상임위원회로 살아남은 것이다. 내각제에 기반하지 않고도 지방 행정은 상당히 효율적으로 이루어지고 있다. 하원에서도 내각제의 경직성을 완화하기 위해 당론을 따로 정하지 않고 의원들의 자율적인 표결에 맡기는 경우가 점점 많아지는 추세고 정부 내각이 총사퇴를 할 때는 신임 투표에 패할 때뿐이다. 하지만 또 다른 대안도 생각해볼 수 있다. 하원과 상원으로 구성된 영국의 양원제는 현대사회의 문제들을 해결하기에 역부족이다. 새로운 의회를 설립하는 등의 변화가 있어야 한다. 웹 부부는 정치의회와 산업의회를 제안했다.

제73장 사회주의와 노조주의의 분열은 정해진 수순이다

지금은 한목소리를 내는 노동당도 거대 여당이 되면 분열할 수 있다. 노동당 내 사회주의자들이 사회복무compulsory social service를 의무화하고 파업을 처벌하는 법안을 상정하면 노동조합주의와 계약자유를 주장하는 세력이 반대하고 나설 것이다. 노동조합이 직능노조에서 산업노조로 확대되면서 파업의 규모도 달라져서 오늘날 파업은 파괴적인 내전으로 치닫는다. 모두가 일하기를 거부하면 다 같이 굶어죽고 말 것이다. 따라서 사회복무의 정당성에 대해서는 누구도 이의를 제기할 수 없다. 사회복무의무에 관한 논쟁이 본격화되면, 사회주의자들은 보수 세력은 물론이고 노동조합주의자들과 싸워야 할 것이다.

제74장 사회주의 대 자본주의는 현대판 종교전쟁이다

국가가 의무교육을 실시하면 종교교육 문제가 뜨거운 감자다. 종교와 관련된 다양한 견해차는 하원의 양당체제로는 감당이 안 된다. 종교적 신념은 타협이 불가능해서 종교교육 문제는 충돌을 부른다. 종교중립적 교육은 비현실적이다. 코페르니쿠스의 우주와 현대 물리학, 진화생물학을 성경과 함께 가르치고 아이들이 알아서 판단하기를 기대하는 것은 무리인 데다 과학 교사들도 교회 목사들과 마찬가지로 중립적이지 않다. 사실만 가르치는 세속교육도 불가능하다. 아이들에게는 품행도 가르쳐야 하는데 아이들을 바른 행동으로 이끄는 것은 결국 형이상학적 이유다. 처벌은 쉽지만 효과가 좋지 않다. 아이들에게는 신을 위대한 아버지 혹은 가톨릭처럼 위대한 어머니로 인격화할 필요가 있다. 볼테르와 로베스피에르 그리고 유치원에서도 유아교육에 신이 필요하다는 것을 알았다. 프랑스 철학자 콩트에 따르면, 인간의 믿음은 신학적 단계에서 형이상학적 단계를 거쳐 과학적 단계로 발전한다. 어느 단계의 믿음을 갖고 있는지는 사람마다 다르다. 부모도 유권자도 정치인도 정부도 자기가 믿는 종교와 관습, 이름, 제도, 심지어는 언어까지 다른 모두에게 강요하려는 경향이 있다. 그러다 사회가 진보하기도 한다. 자신의 믿음에 확신을 갖고 있으면 다른 사람의 믿음은 용인하려 하지 않는다. 역사를 돌이켜 봐도 전투에서 엎치락뒤치락하다 힘이 고갈되어 휴전을 할 때나 관용을 베풀었다. 자본주의와 사회주의의 싸움은 현대판 종교전쟁이다. 자본주의와 사회주의 세력 간에도 관용은 불가능하다. 하지만 사회주의 정당이 사회주의에 반대하는 사람들을 제거한다고 사회주의를 실현할 수 있는 것도 아니고, 사회주의에 반대하는 사람들이 사회주의자들을 제거한다고 사회주의를 피할 수 있는 것도 아니다.

제75장 혁명은 요술봉이 아니다

선거를 통한 정권 교체나 개혁과 달리 혁명은 폭력을 사용하거나 위협을 가해서 한 세력에서 다른 세력으로 혹은 한 개인에서 다른 개인에게로 정치권력이 넘어가게 하는 것이다. 우리의 정치권력이 형식적으로는 자본가에게서 프롤레타리아에게로 넘어갔지만 실질적으로는 그렇지 않다. 프롤레타리아는 절반만 생산적인 일을 하며 스스로 살아가고 나머지 절반은 자본주의에 기생하고 있기 때문에 적어도 프롤레타리아의 절반은 자본가들 편이다. "우리가 다수고 그들은 소수"는 현실을 호도하는 위험한 슬로건이다. 자본가들은 프롤레타리아의 상당수가 자기들 편이라는 것을 알기에 사유재산을 제한하려는 사회주의 입법을 막무가내로 거부할 수 있다. 실제로 아일랜드도 그랬고 1차세계대전 이후 여러 유럽 국가가 줄줄이 의회주의를 걷어찼다. 그렇다고 사회주의자들이 수단과 방법을 가리지 않고 반대편을 제압해 정권을 잡는 데만 몰두한다면 명목상의 변화는 있겠으나 실제로는 아무것도 달라지지 않을 것이다. 러시아에서는 혁명으로 절대왕정이 프롤레타리아 공화정으로 바뀌었고 자본주의 대신 공산주의가 선포됐다. 하지만 공산주의자들의 승리가 무색하게도 러시아는 자본주의에 의지할 수밖에 없는 상황이 됐고 자본주의를 통제하기 위해 안간힘을 썼다. 폭력 혁명으로 많은 것이 파괴된 터라 그들의 고충은 배가됐다. 공산주의는 자본주의 경제 문명을 더욱 발전시켜야만 실현할 수 있다. 기존 경제 문명을 갑자기 뒤엎으면 공산주의 실현이 늦어질 뿐이다. "점진적인 변화"라고 반드시 평화로운 변화는 아니겠지만, 반反사회주의자들이 폭력적인 싸움을 걸어오지 않는 한 사회주의자들은 최대한 내전을 피하려 할 것이다. 내전을 치러서 사회주의로 가는 길을 뚫을 수 있을지는 몰라도 궁극적인 목표에는 한 발짝도 가까워지지 않는다. 프랑스 혁명이 남긴 교훈을 떠올려 보자. 사회주의를 실현하기 위해 어떻게 정권을 잡을 것인지는 그렇게 중요한 문제가 아니다. 그보다도 사회주의가 사회질서로 자리잡으면 어떤 이점이 있는지 알리는 것이 더 중요하다.

제76장 법 하나면 된다는 발상은 위험하다

자본주의자와 사회주의자의 권력 다툼이 끝내 평화로운 합의로 마무리되지 못할 수도 있다. 끊임없이 미화되곤 하는 우리의 호전성이 언제 불쑥 튀어나올지 모를 일이다. 하지만 파괴적인 싸움을 치른 후에는 반드시 건설적으로 협력해야 한다. 그래야만 문명이 유지되고 사회주의 실현도 꿈꿀 수 있다. 내전은 사회주의 실현을 방해할 뿐이므로 더 논의할 필요가 없다. 사회주의는 결국 의회를 통해 실현해야 한다. 적절한 준비와 보상을 통해 차근차근 국유화가 진행되면 지적인 정치인들은 사회주의자가 아니더라도 국유화를 지지할 것이고 보통사람의 일상이 방해받는 일도 없을 것이다. 국유화하려면 준비를 철저히 해야 한다. 일단 중앙정부와 지방정부의 공무원 조직부터 확충해야 한다. 사회주의는 한 방에 끝낼 수 있는 일이 아니고 소득평등화 원칙을 충분히 달성할 때까지 점진적으로 추진해야 한다.

제77장 국유화만이 능사는 아니다

사기업을 전부 국유화할 수는 없다. 유용한 사기업이 파산 위험에 빠지면 정부가 보조금을 지원할 수 있다. 정부는 이미 오래전부터 문화기관을 지원해왔고 이제는 대규모 사업도 지원한다. 1925년에는 탄광주들에게 보조금을 지급했다. 자본가들이 정착시킨 보조금 제도를 바탕으로 사회주의 정부는 모험적이고 실험적인 사기업을 지원할 수 있다. 국유화는 일상으로 자리잡은 산업에 국한해서 실시해야 한다. 사기업이 정부 지원을 받아 모험적인 사업을 성공시키고 안정적인 궤도에 올려놓으면 비로소 그 사업은 국유화의 대상이 될 수 있다. 사기업은 다시 새로운 고안이나 발명, 실험적인 사업을 추진하는 것이 바람직하다. 교조적 사회주의자들은 보조금에 반대하고 국유화를 고집한다. 그러나 사회주의의 목표는 국유화가 아니라 소득평등이다. 국유화는 소득평등을 달성하기 위한 하나의 방법일 뿐이다. 정부가 사기업에 보조금을 지원하면 주주의 권리를 요구하는 것이 맞다. 사기업에 공적자금을 대가없이 제공하는 것은 국고를 횡령하고 납세자를 약탈하는 것이다. 국유화를 할 때는 토지든 자본이든 산업이든 즉시 활용할 준비가 돼 있어야 한다. 그렇지 않으면 영국 정부가 전쟁이 끝나자마자 국영 군수공장을 민간사업자에게 매각한 것처럼 국유화한 재산을 도로 민간에 되팔아야 한다.

제78장 평등한 사회까지 얼마나 걸릴까?

개혁이 너무 더디면 폭력 혁명이 일어나서 문명이 파괴될지도 모른다. 그런 식으로 소득평등을 달성한들 오래가지 못한다. 지속가능한 소득평등을 실현하려면 사회가 고도로 문명화되고 안정적이어야만 한다. 숙련된 공무원과 정교한 법체계를 갖추고 국민의 도덕적 지지를 받는 정부가 사회를 이끌어야 한다는 뜻이다. 소득평등화가 급진적으로 진행될까 봐 걱정할 필요는 없다. 소득평등화는 참기 힘들 정도로 느리게 진행될 것이다. 우리가 사회주의자로 길러지지 않았기 때문이다. 우리는 아이들에게도 사회주의가 나쁘다고 가르치고 있다. 하지만 유권자 절대다수를 차지하는 프롤레타리아 부모들이 자본주의의 잔혹함에 도덕적 반감을 느끼고 있고 실리적인 이유에서도 사회주의에 대한 입장이 점점 더 우호적으로 변하고 있다. 자본주의 체제에서는 경제적 이기심이 성공의 열쇠일지 몰라도 사회주의 체제에서는 사기꾼의 탐욕으로 지탄받을 것이다.

제79장 규제들이 사라진다

자본가가 제멋대로 노동자를 착취하며 멸종시키는 것을 막기 위해 그동안 여러 감시와 규제가 생겼다. 그러다 보니 사회주의 사회가 되면 규제 일색일 것이라는 우려와 공포가 있다. 하지만 자본주의하에서 프롤레타리아를 보호하기 위해 생긴 규제는 사회주의하에서는 필요없다. 공장법의 대부분은 불필요할 뿐만 아니라 참기 힘든 구속이 될 것이다. 경찰의 임무도 확연히 달라질 것이다. 사유재산을 수호하고 빈곤으로 인한 범죄와 무질서를 막는 일에 더는 주력하지 않아도 된다. 술이나 약물로 인해 생긴 규제도 사라질 것이다. 자본주의하에서는 가난의 고통을 견디기 위해 인위적인 행복에 의존하려는 사람들 때문에 금주법 등으로 개인의 자유를 제약할 수밖에 없다. 하지만 사회주의로 가난이 사라지고 여가가 늘어나면 자연스레 술과 약물을 멀리하는 분위기가 형성되어 규제할 필요도 없어진다. 비위생적인 환경이 개선되면 전염병을 막겠다고 위험천만한 예방접종을 강제할 필요도 없을 것이다. 사유재산을 보호한다고 개인의 자유를 직접적으로 침

해하는, 이를테면 사슴과 양을 기르겠다고 사람에게서 "거주 이전의 자유"를 빼앗는 일 따위도 일어나지 않을 것이다. 다만 사회주의가 되면 일하지 않고 놀고먹을 자유는 없어진다. 자본으로 부를 창출한다는 말은 헛소리다. 노동이 없으면 아무 소용 없다. 특허나 저작권은 남의 노동에 기대어 먹고살 특권이므로 명확한 목표를 가지고 신중하게 부여해야 한다. 법이 없으면 억압도 없다는 생각은 착각이다. 자본주의 사회에서는 법이 아니더라도 고용주와 지주와 유행이 개인의 자유를 구속한다.

제80장 결혼에서 자유로워진다

사회주의를 자꾸 새로운 자유와 연결짓는 사회주의자들은 중요한 사실을 놓치고 있다. 사람들은 새로운 규제보다 새로운 자유에 더 반대한다. 러시아에서 이혼이 자유로워지자 영국인들은 강한 반감을 표출했다. 결혼제도는 워낙 나라마다 천차만별이다. 그러한 결혼제도와 사회주의는 원칙적으로 무관하다. 소득평등화는 결혼제도와 상관없이 모두에게 공평하게 적용되는 것이다. 그런데 사람들은 왜 사회주의가 결혼제도를 바꾼다고 믿는 걸까? 러시아가 "여자들까지 국유화"했다는 헛소문은 왜 나왔을까? 여자와 아이들이 남편과 아버지에게 경제적으로 종속된 곳에서 결혼은 노예제도가 되고 집은 감옥이 된다. 사회주의는 그런 여자와 아이들을 경제적으로 독립시켜 노예의 사슬을 끊고 감옥 문을 열어젖힐 것이다. 그러면 불행한 결혼과 가정은 영락없이 해체되고 보통의 가족은 서로를 더욱 존중하게 될 것이다. 이미 깨진 커플은 국가가 개입해서 이혼시키고 깨진 관계가 악의적으로 혹은 종교적으로 강요되는 일이 없게 할 것이다. 그러다 교회와 충돌하는 일이 있더라도 국가는 결혼제도에 관여할 수밖에 없다. 결혼제도는 인구문제와 직결돼 있기 때문이다. 사회주의는 자본주의가 기생적인 노동자를 양산하는 바람에 발생한 인구과잉을 해결하고 진짜 인구문제가 무엇인지 드러낼 것이기 때문에 자본주의 국가보다 사회주의 국가가 결혼과 가정에 개입할 가능성이 더 크다. 인구과잉이 문제일 때는 이민장려와 산아제한, 인구부족이 문제일 때는 출산장려와 복혼제도 등등을 실시할 수 있다. 모르몬교도들은 복혼을 통해 수적 열세를 극복하려고 했다. 프랑스는 인구를 늘리기 위해 대가족에게 포상금을 주고 피임을 비난하는 출산장려 정책을 썼다. 의무부모제를 실시하고 국가가 양육비를 제공할 수도 있다. 일부일처제는 성비가 맞을 때나 가능한 것이다. 전쟁이 터져서 남자가 씨가 마르면 금세 일부다처제가 실시될 수 있다. 여하튼 자본주의로 왜곡된 인구문제를 해결하기 전에는 적정인구가 얼마인지 알 수 없다. 나라마다 이상적으로 생각하는 인구가 다르기도 하다.

제81장 나만 잘살면 된다고
가르치지 않는다

영국은 의무교육을 실시함으로써 어린아이들에 대한 부모의 권리를 제한하고 있다. 아이들을 부모로부터 보호하는 일은 여전히 필요하다. 새로운 입양법은 그래서 도입됐다. 이제는 아동의 생활을 제대로 조직할 차례다. 지금의 학교는 감옥이나 다름없다. 아이들을 자연인에서 시민으로 키우는 게 교육의 본질이자 목적이 돼야 하는데 우리는 여전히 어리석은 교육관에 사로잡혀 있다. 9년에 달하는 의무교육을 실시하면서도 아이들을 무지에서 구하지 못하고 있다. 아이들에게 적성과 능력에 맞지 않는 것을 강요해서 아이들을 해치기도 한다. 여학생들에게는 베토벤을, 남학생들에게는 고전과 수학을 배우도록 강요한다. 예전에 이튼 학교에서는 노는 것을 금지했는데 이제는 강제로 놀게 한다. 아이들을 매로 다스려야 할 짐승 혹은 지식을 주입해야 할 자루로 취급한다. 아동학대자나 아동수집가들도 교육에 뛰어들기 쉬운 환경이다. 학교에서 아이들은 교사의 폭력에 노출돼도 법의 보호를 제대로 받지 못한다. 교사와 아이들 사이에는 위태로운 긴장감이 형성된다. 교육 면에서 끔찍한 지금의 학교가 학생들에게 제공하는 이점은 단 하나다. 무차별적인 사교, 즉 난교를 장려한다는 것이다. 난교는 훌륭한 예절을 습득하는 비결이다. 그래서 중간계급의 벽돌상자집보다는 대학, 대학보다는 전원도시와 여름학교에서의 사교가 더 유익하다. 자본주의 사회의 계급 구분과 속물근성에 구애받지 않고 자유롭게 친구를 선택하고 사생활을 누릴 수 있어야 한다. 이런 이유에서도 사회주의가 자본주의보다 낫다. 국가가 학교 교육으로 반드시 가르쳐야 할 것은 시민으로서 자질을 갖추는 데 필요한 지식이다. 좋은 일에 쓰이는 기술이 행여 나쁜 일에 쓰일 가능성을 염려해 기술교육을 하지 않을 수는 없다. 기술교육에 수반해 도덕과 윤리를 가르치는 교양교육도 반드시 실시해야 한다. 사회주의 국가는 특정 종교의 교조적 신념은 가르치지 않을 것이다. 영국에는 서로 화합불가능한 수많은 종교가 있다. 어린아이의 신체뿐만 아니라 영혼도 보호해야 하므로 아이들에게 원죄라든지 유황지옥 같은 개념을 주입해서는 안 된다. 시민들에게는 공통된 신념, 즉 시민의식이 필요하다. 시민의식을 함양하기 위해서는 어릴 때 신념을 주입하고 공식적인 제2의 천성이 되게 해야 한다. 국가는 아이들에게 현대 시민으로 살아가기 위한 최소한의 교육을 제공하고 나머지는 스스로에게 맡겨야 한다.

제82장 교회가 불평등을 옹호하지 않는다

사회주의 국가는 교회를 용인할 것인가? 개인의 신앙을 떠나 객관적 시각으로 접근해야 할 문제다. 국가와 교회는 정치사회제도를 지배하기 위해 끊임없이 권력 다툼을 벌여왔다. 종교재판소와 성실청은 사라졌지만 신권주의는 힘을 잃은 적이 없다. 지금도 모르몬교에 이어 크리스천 사이언스가 세속정부와 일전을 벌이고 있다. 스스로 교회라는 것을 부정하면서 세속정부를 휘어잡은 신흥교회도 있다. 오늘날 광신과 박해는 과학의 이름으로 자행된다. 국가가 크리스천 사이언스를 박해하는 상황은 사실 국가 대 교회의 싸움이라기보다는 과학으로 위장한 제너-파스퇴르 교회 대 크리스천 사이언스 교회의 싸움이다. 직접 통치에 나서지는 않더라도 공무원과 전문가를 뽑는 자격시험에 막대한 영향력을 행사하는 교회는 국가를 실질적으로 장악한 것이나 다름없다. 과거 영국국교회는 그와 같은 권력을 누렸지만 영국인들이 하나의 교회에 남아있지 않으려고 하면서 서서히 쇠락했다. 국교도만 들어갈 수 있었던 의회에 퀘이커교도를 필두로 비국교도와 유대교도에 이어 무신론자까지 진출했고 교회의식 없이 혼인, 출생, 사망신고를 하는 것이 가능해졌다. 이제는 또 다른 교회가 과학을 참칭해 국가를 휘어잡으려고 한다. 미국과 유럽의 신생 공화국에서는 과학 신앙이 이미 과도하게 번져 있다. 과학도 종교와 같은 미덕을 발휘한다. 그러나 대부분의 사람은 사실 종교에도 과학에도 관심이 없고 외부에서 주입되는 공통의 신념을 따른다. 즉, 공식적인 제2의 천성이 형성된다. 그래서 사람들에게 어떤 신념을 주입할지를 놓고 세속정부와 교회가 충돌한다. 요즘에는 시신 처리나 동물권, 성당 건물의 사용 문제를 놓고 충돌한다. 러시아 정부는 교회를 용인하지만 교리는 마약이라고 비난한다. 그렇게 경멸적으로 아량을 베푸는 반교권주의는 오래 가지 못한다. 긍정적인 가르침은 반드시 필요하다. 개인들에게 종교는 용기의 원천이다. 남자가 사냥과 싸움을 하고 여자가 그 밖의 일을 도맡아 하던 원시사회의 전통 때문에 사람들이 폭력성과 경쟁심을 용기로 잘못 알고 있지만, 정치에는 아무 도움이 안 되는 자질들이다. 싸움꾼들은 생각이 필요한 순간에 겁쟁이나 게으름뱅이가 되기 일쑤다. 종교에서 진정한 용기를 얻는 사람들은 사회주의가 자신의 종교에 적대적이지는 않을지가 가장 궁금할 것이다. 소득불평등을 옹호하는 종교가 아닌 이상 사회주의가 종교를 적대시할 이유는 없다. 하지만 사회주의 스스로 교회가 되려고 할 위험은 있다. 사회주의가 절대적으로 옳은 예언자와 구세주가 이끄는 교회처럼 되려고 시도한다면 무조건 경계해야 한다. 모스크바 제3인터내셔널(코민테른)이 바로 그런 교회고 그들이 모시는 예언자는 카를 마르크스다. 종국에는 소비에트 정부도 제3인터내셔널과 싸우고 주도권을 잡아야 할 것이다. 그렇지만 소비에트나 우리나 마르크스의 교리를 거부하고 그를 욕할 필요까지는 없다. 영국을 지배하는 것은 교회가 아니라 정부여야 한다고 주장하면서도 예수의 가르침을 거부하거나 예수의 성격을 비난하지는 않는 것과 마찬가지다.

제83장 우리는 바벨탑에 살고 있다

사회주의와 자본주의 그 어느 것도 이해하지 못한 사람들이 서로 언쟁을 벌이고 언론에서 아무렇게나 떠드는 꼴은 참고 봐주기가 힘들다. 사람들은 누군가를 욕하기 위해 아무 이름이나 갖다 붙이고 전문적인 용어를 잘못 사용한다. 정치인들은 다른 사람뿐 아니라 자기 자신에게도 잘못된 명칭을 사용한다. 공산주의-무정부주의자는 자기모순적인 명칭이다. 현재 공산주의자라고 하면 페이비언 사회주의자들의 입헌적 방식을 거부하고 직접행동으로 자본주의를 타도하려는 사람들을 일컫는다. 그러나 직접행동을 통해 노동자가 주인이 되겠다는 계획은 공산주의가 아니라 가난한 자의 자본주의일 뿐이다. 그렇게 거친 직접행동주의자들이 공산주의자를 참칭하는 바람에 노동당은 공산주의적 입법을 주장하면서도 공산주의자는 축출해야 하는 이상한 상황에 직면했다. 참을성 있게 입헌적 방식을 고수하지 못하는 극우와 극좌는 똑같이 파시즘을 외친다. 직접행동의 하나인 총파업은 경계해야 한다. 총파업은 어리석은 짓이다. 총파업으로 전쟁을 막을 수 있다는 것도 말이 안 된다. 평화주의는 무너지기 쉽다. 거대 제국이나 연방국의 사례에서 보듯 초국가적 조직만이 전쟁을 막을 수 있다. 민주주의에 대해서도 다시 생각해봐야 한다. 권력을 견제하겠다고 어설픈 민주적 절차를 도입해서 오히려 민주주의를 방해하고 노동조합에서 독재정치를 초래하고 있다. 노동계급 지도자는 상원 귀족보다 훨씬 독단적이고, 중상류층 이상주의자보다 훨씬 냉소적인 시각으로 노동계급을 바라본다. 민주주의가 제대로 실행된 적은 한 번도 없다. 1832년 선거법개정부터 여성참정권에 이르기까지 선거권 확대에 걸었던 그 모든 희망은 번번이 실망으로 바뀌었다. 그러다 보니 민주주의에 대한 반발이 일어나고 "모두가 규율을 지키고 아무도 투표권을 가질 수 없게 하자"는 이야기마저 나오고 있다. 여성참정권을 옹호한 노동당도 소수의 목소리를 더 잘 반영하려는 비례대표제에 대해서는 의회 정치를 마비시킬까 봐 반대하고 있다. 투표권은 어쨌든 중요하다. 그러나 민주주의 때문에 망하지 않으려면, 정치인의 역량을 과학적으로 검증하는 제도가 필요하다. 민주주의를 토대로 권력을 잡은 사람들도 민주주의가 정치의 발목을 잡는 위험한 골칫거리라는 것을 알고는 민주주의에 등을 돌린다. 민주주의는 진정한 일류 체제를 실질적인 목표로 삼아야 하는데 누가 일류인지는 대중이 투표를 통해 판단할 수 있는 일이 아니다. 대중은 적임자를 뽑노라고 뽑아도 결국 시끄럽기만 하고 무능한 사람이 당선되는 경우가 허다하다.

제84장 소비에트의 실수를 보니 페이비언이 옳았다

러시아의 공산주의 실험을 살펴보자. 초기 결과는 처참했다. 여느 예언자들과 마찬가지로 마르크스의 가르침도 현실에 그대로 적용하기에는 무리가 있었다. 기존 사업을 국가가 즉시 맡아서 운영할 수도 없는데 생산시설을 몰수하거나 경영자들을 추방하면 파멸로 치달을 뿐이다. 국가가 직접 경영에 나설 때는 공무원의 부패와 무사안일주의를 경계해야 한다. 1917년 차르 체제가 붕괴되고 케렌스키가 이끄는 자유주의 정부가 들어섰지만 전쟁에 지친 러시아군은 평화와 땅을 요구하며 반란을 일으켰다. 레닌과 볼셰비키 동료들은 "평화와 땅"을 약속하며 군인과 소작농의 지지를 얻어 케렌스키를 몰아내고 정권을 잡았다. 레닌은 공산주의의 명운이 자라나는 세대에게 달려있다고 보고 교육에 사활을 걸었다. 그리고 수년의 시행착오를 거쳐 자본주의나 다름없는 신경제정책N.E.P.을 선포하기에 이르렀다. 신경제정책 이전에도 러시아에 다시 자본주의 체제를 세우려는 자본주의 열강의 시도가 있었다.

자본주의 강대국들은 러시아 왕정주의 반란군 즉 하얀군대에 무기와 자금을 지원했다. 처칠은 영국 돈을 1억 파운드나 갖다줬다. 그러나 승리를 장담하던 하얀군대는 붉은군대에 완패하고 말았다. 예전 지주가 돌아올 것을 두려워한 소작농들이 떼를 지어 붉은군대에 자원입대한 것이다. 자본주의 강대국들은 소비에트 러시아에 대한 군사 공격이 여의찮게 되자 언론을 통해 대대적인 비방을 시작했다. 소비에트는 산업강대국들로부터 돈을 빌릴 수 없는 처지가 됐고 기술이 없는 소작농과 원시적인 노동으로 산업을 일으켜야 하는 엄청난 난관에 봉착했다. 소비에트는 안팎으로 심한 압박에 시달렸고 볼가 지방에 기근까지 들었다. 공장일에 미숙한 소작농 출신 노동자들은 새 기계를 다 망가뜨렸다. 소비에트 정부는 노동자들을 가르치기 위해 외국인 기술자들을 데려왔다. 체카를 창설해서 게으른 공무원과 근무태만자, 술주정뱅이, 사보타주하는 자들을 제압했다. 추방했던 부농(쿨라크)들을 다시 불러들여 농사를 짓게 하고 당분간 사업가(네프맨)들이 사업을 계속할 수 있게 했다. 인텔리겐차에게 지식인 프롤레타리아라는 새로운 이름을 부여하고 사무관리 노동자로 일하게 했다. 다만 황제 일가의 거취에 대해서는 입장을 확실하게 정하지 못하다 결국 처형해버렸다. 재산을 몰수당해서 앙심을 품은 사람들과 사회주의에 대해 무조건적인 환상을 품은 젊은이들도 해결해야 할 문제였다. 부르주아의 속물근성에 대한 반발심이 성적 방종과 학생들의 기강 해이를 야기하자 소비에트는 청교도적 공산주의로 방향을 급선회했다. 러시아에서 소득평등화는 시기상조다. 비숙련 노동자의 현 소득 수준에 맞춰 소득평등화를 시도했다가는 전문가를 양성할 수 없다. 전문가의 소득 수준에 맞춰 소득평등화를 할 수 있을 때까지 성과임금과 직무등급제를 도입해서라도 생산을 증대해야 한다. 아직 가야 할 길이 멀다. 러시아는 마르크스 이후 사회주의인 영국 페이비언의 연구와 경험을 참고해 헌법부터 시대에 맞게 고쳐야 한다.

제85장 파시즘은 자본주의의 또 다른 얼굴이다

파시즘은 별다른 게 아니다. 시저와 크롬웰, 나폴레옹1세와 나폴레옹3세가 다 그 시절의 파시스트 지도자였다. 의회가 그때그때 할 일을 제대로 못 하면 언제나 파시즘이 고개를 든다. 19세기에는 참정권이 확대되면 세상이 달라질 것이라는 기대로 혁명이 일어나지 않았다. 결국 참정권은 확대됐지만 달라지는 건 없었다. 의회제도는 어렵게 선거를 치르며 좋은 시절을 허비하게 한다. 의욕 넘치는 정치 천재들은 그런 의회 제도에 회의를 느끼고 절대 권력을 가지려 한다. 의회의 무능을 견디다 못한 대중은 대중대로 마음이 가는 지도자에게 무조건 의지하려고 한다. 나폴레옹1세와 3세는 의회를 몰아내고 아주 쉽게 황제가 됐다. 오늘날 나폴레옹의 후예들은 영도자Führer가 된다. 이 파시스트 지도자들은 생각없이 감상적으로 관습을 따르는 대중을 군대처럼 조직해서 모든 자유주의 단체를 없애고 여기저기 흩어져 있는 프롤레타리아 단체들을 파괴하고 약탈한다. 기존 의회가 수년이 걸려도 하지 못했던 일들을 파시스트 지도자를 추종하는 청년 대표들은 단 몇 달

만에 거침없이 해치운다. 지지부진한 의회정치에 익숙한 나라들은 유능하고 의욕적인 파시스트 지도자가 선전하는 이웃 나라를 보며 놀랄 수밖에 없다. 현재 잘 나가는 파시스트 지도자 4인은 나폴레옹보다 더 오래 집권할 모양새고 금세 무너질 것 같지도 않다. 하지만 파시스트 지도자는 불사신이 아니고 언젠가는 죽는다. 상대적으로 평범한 후계자가 절대권력을 물려받으면 파벨 황제나 네로 황제처럼 온전한 정신을 유지할 수 없는 상태가 된다. 정치 천재는 가뭄에 콩 나듯 나오기 때문에 천재가 나오기만 기다릴 수는 없는 노릇이다. 평범한 사람들도 무리없이 국가를 운영하게 하는 헌법이 필요하다. 파시즘은 무지와 편견, 미신에 사로잡힌 대중의 기대에 부합해야 하기 때문에 그 한계가 명확하다. 대도시를 재정비한다고 하면 대중의 박수를 받지만, 재개발로 폭등한 지대를 국유화하겠다고 하면 공산주의는 안 된다는 대중의 저항에 부딪힌다. 자본주의 사회에서 지대가 야기하는 극심한 소득 불평등에서 벗어나려면 공산주의를 받아들여야 하지만 파시즘 지지자들은 공산주의를 절대 허용하지 않으려 한다. 그러니까 파시즘은 해결책이 될 수 없다. 유산계급의 재산은 절대

건드리지 못하고 유대인이나 인기없는 교파를 박해하고 약탈할 뿐이다. 파시즘은 허울뿐인 자유와 민주주의를 무시한다는 점에서 처음에는 공산주의와 비슷해 보일 수 있다. 하지만 파시즘은 자본주의의 분배 문제를 그대로 안고 가기 때문에 고대 로마의 파시즘과 마찬가지로 파국을 맞게 될 것이다.

제86장 지적인 신념을 향하여

과도한 연민에 빠져서 좌절할 것 없다. 고통받는 사람이 많아지면 고통도 그만큼 따라 커질 거라 상상하며 허우적대지 말자. 고통의 합 같은 건 없다. 하지만 낭비는 합쳐진다. 사회주의는 낭비에 반대한다. 자본주의하에서는 진정한 명예도 진정한 건강도 진정한 행복도 누릴 수 없다. 부유층이나 빈곤층이나 하나같이 혐오스럽고 다 사라져야 마땅하다. 자본주의 원칙을 따른다면 이권 다툼 없는 인간관계는 바랄 수도 없다. 자식들은 부모의 유산을 기다리고, 전문가들은 한 푼이라도 더 뜯어내려고 하며, 여자들은 돈을 보고 결혼한다. 자본주의는 사회라는 기계가 원활하게 작동하도록 기름칠을 하기는커녕 모래를 집어넣어서 심각한 마찰을 야기한다. 낙관적인 독자들은 자본주의 사회가 그렇게 끔찍하지 않다고 할지 모른다. 사실 선한 사람들은 많다. 게다가 초기 자본주의는 초기 기독교보다도 의도가 좋았다. 하지만 선의만으로는 부족하다. 올바른 방법을 찾지 못한 선의는 위험하다. 올바른 방법을 찾기 위해서는 감상에 빠질 게 아니라 지적인 신념을 따라야 한다. 그러나 자본주의 사회에서는 우리의 신념과 활동이 금전적 이익에 좌우되기 십상이라 제도와 이론과 실제가 죄다 부패하고, 선량한 사람조차 정직한 방법과 원칙을 알지 못하는 지경에 이른다. 어딜 가나 폭리를 취하고 직능이기주의가 만연해 있다. 그래서 우리는 『걸리버 여행기』나 『캉디드』처럼 냉소적이고 비관적인 책들에 공감하는 것이다. 소득평등화가 실현되면 그 책들은 소름끼치는 현실을 반영한 책이 아니라 이미 소멸된 질병을 다룬 책으로 여겨질 것이고, 세상을 전보다 더 나은 곳으로 만드는 사람이 진정한 신사숙녀로 대접받을 것이다.

참고문헌을 대신하여

자본주의와 사회주의에 관한 책들은 대체로 난해하고 무미건조하며 전문적인 학술 용어투성이다. 그러면서도 자본이 무엇인지 사회주의가 무엇인지 제대로 정의조차 하지 않는다. 리카도와 드 퀸시, 오스틴 같은 초기 자본주의 경제학자들은 자본주의에 대해 솔직했다. 프루동과 마르크스는 사회주의적 관점에서, 밀과 케언스와 케인스는 경제학적 관점에서, 러스킨과 칼라일, 모리스는 예술적 관점에서 자본주의에 반발했다. 디킨스, 웰스, 골즈워디, 베넷 같은 소설가들과 입센, 스트린드버그 같은 극작가들도 자본주의에 반발했다. 헨리 조지는 『진보와 빈곤』을 썼다. 『페이비언 에세이』는 자유주의의 혁명지향적 전통을 따르던 사회주의 운동을 합헌적인 운동으로 개조했다.

자본주의+사회주의 세상을 탐험하는 지적인 여성을 위한 안내서
차례 Table of Contents

2024년 8월 8일 초판 1쇄 발행

지은이 버나드 쇼 | 옮긴이 김일기 김지연 | 펴낸이 유수현 | 펴낸곳 도서출판 뗀데데로 TENDEDERO | 등록 제321-251002009000002호 | 전화 070-8182-6300 | 팩스 02-6008-2089 | 이메일 info@tendedero.co.kr | 홈페이지 www.tendederokorea.com | ISBN 979-11-961120-4-2(04300) 979-11-961120-2-8(세트) | 가격 38,000원